テクノロジーが予測する未来

web3、メタバース、NFTで世界はこうなる

伊藤穰一

SB新書
583

はじめに

世界は、新しいルールで動きはじめた

いま僕は、これまでにないほど、ワクワクしています。

というのも、これまで、インターネットの登場やそのほかの刺激的なムーブメントなどさまざまな事柄に出合ってきましたが、新たなテクノロジーによって歴史的な大転換が起ころうとしているからです。

最近、「**web3**」「**メタバース**」「**NFT**」という言葉を耳にする機会が増えました。

一部のテクノロジー好きの人たちの間で盛り上がっているだけで、自分には関係のない話……そんなふうに思っている人も多いかもしれません。インターネットも最初はそうでし

た。

僕は長年、インターネット事業への投資に携わり、Twitterなどネットベンチャー企業の事業展開、育成も数多く支援してきました。１９８４年頃からモデム（インターネットの利用を可能にする装置）を使い、インターネットに親しんできた僕は、おそらく、ＩＴの歴史をつぶさに見てきた数少ない日本人のひとりではないかと思います。

１９９０年代初頭の段階では、インターネットについて話している人は、僕の周りでもほんの一握りでした。それがいまでは、誰もが片手に収まる端末（スマートフォン）を操り、常時インターネットに接続しているのが当たり前になっています。

インターネットが誕生して、約半世紀。世の中に普及して20年余り。ほとんどの人にとって、「インターネットなしの生活」はもはや、考えられないでしょう。

ｗｅｂ３、メタバース、ＮＦＴも、そうなっていく可能性が高い。「これがない時代があったなんて信じられない」「これを使いこなせない人はすごく困る」というほどの劇的な変化が、いま、新たに起ころうとしているのです。

「働き方」「文化」「アイデンティティ」「教育」「民主主義」……大変化の波は、あらゆる領域に及びます。誰も、逃れることはできません。その大変化とは、いったいどのようなものか？　――それをわかりやすく解明するのが本書です。

なお、ｗｅｂ３は皆さんが馴染み（なじ）の薄い用語などがたくさん登場するので、入門的な内容を序章で書きました。すでに知っている方は、序章は飛ばして第１章から読んでいただければと思います。

くわしい解説は後の章に譲りますが、まずは足がかりとして、ｗｅｂ３、メタバース、ＮＦＴによっていま、生まれつつあるメガトレンドに触れておきましょう。

web3「ガバナンス・働き方・組織」の前提が覆される

ｗｅｂ３には多くの要素がありますが、特に注目したいのは、**ブロックチェーン**という新しい技術が登場したことによって、インターネットが進化する間に忘れ去られてしまっていた、「非中央集権的」という方向性をふたたび目指すことになったという点です。

ウェブの黎明期には、みずから情報を発信しようとした世界の人々は、自分の手でＷＷＷサーバーを立ち上げ、情報発信を行いました。Yahoo! のスタートもそうですし、僕が立ち上げた、個人のものとしては日本初のウェブサイト、「富ヶ谷」もそうです。新聞社や出版社、放送局の力を借りなくても、世界中に、情報を発信することができるようになった。この点が画期的でした。そして、この新しい情報発信のかたちである「ホームページ」を次々に見つけて、楽しむという遊びもはじまりました。そこに中心はなく、分散的なサーバーが世界中に点在していたのです。

そこから大企業や大組織も参入し、各国政府もホームページを立ち上げていきました。最初は個人がまるで「放送局」をつくるような感覚だったのですが、だんだんとすでに用意されている情報を閲覧することが主になっていったのです。これが**Web1・0**です。

Web2・0は、ふたたび個人が情報発信できるようにしようとした試みといえます。ブログなどがはじまり、それをホスティングする（サーバーを貸し出す）企業が登場しました。集合知が注目されたのもこの頃。ウィキペディアの登場です。

また、この頃、SNSも流行します。ただ、参加する人が増えるにしたがい、次第に、これらの場を提供している企業の力が大きくなってきます。プラットフォームの誕生です。

気がつくと、ウェブ黎明期にインターネットの美点だった非中央集権的な構造が、数少ないプラットフォーム企業を中心に展開する中央集権的な構造になってきたのです。

そして生まれたのが、web3のムーブメントです。web3を支えるブロックチェーンという仕組みによって、さまざまな非中央集権的な試みが行われています。

そのなかで、ここでは、「DAO（ダオ）」に触れておきましょう（第1章）。皆さんにとって特にインパクトが大きく、新しい組織形態によってガバナンス、仕事、働き方のかたちを根底から変える可能性があるものです。

DAOとは、「Decentralized Autonomous Organization ＝分散型自律組織」です。この形態の組織では、「経営者→従業員」といった上意下達ではなく、何事もメンバー全員参加のもとで直接民主主義的に決められます。会社組織に取って代わるだけでなく、地方行政、さらには国の行政でも、このまったく新しいDAO的ガバナンスがとられる日がくるかもしれません。

メタバース　コロナ禍で結びついたweb3とバーチャルリアリティ

メタバース（第3章）の定義は広いのですが、そこで生まれるメガトレンドは、やはりバーチャルリアリティ（VR）です。「バーチャルリアリティのなかで人と交流したりアクションを起こしたりする」というアイデア自体は、それほど新しいものではありません。僕も、1990年代前半にはずっとバーチャルリアリティの仕事をしていました。

ただ、それがユーザーに根づいたといえるのはゲーマー界隈くらいで、一般的には、過去にブームになりかけた時期はあったものの、結局は普及しないまま現在に至ります。

そんなバーチャルリアリティが、ここへきてメタバースという言葉に置き換わり、急激に盛り上がりを見せています。

その背景はコロナ禍です。ご存じのとおり、コロナ禍ではリモートワークが推奨され、Zoomなどを使ったオンラインミーティングが普及しました。人々がリアルに対面するのではなく、オンラインで「会う」のが当たり前になったことで、バーチャル世界で「会う」ことへの身体的・心理的障壁も確実に低くなりました。

それはweb3界隈の人々にとっても同様でした。そこで「バーチャルリアリティ、いいね」となったことで、ｗｅｂ３の文脈にバーチャルリアリティが重なったのです。

そんなバーチャルリアリティを含むメタバースは、人間が己の身体性や属性から解放され、時空を超えてコミュニケーションできる場です。これが当たり前になることで、僕たちのアイデンティティやコミュニケーションに大きな変化が起こることは確実です。

ＮＦＴ「お金に替えられない価値」が可視化される

３つ目に紹介するのが、ＮＦＴです。デジタルアーティストのＮＦＴアートが約75億円もの高額で落札された、という２０２１年のニュースはご存じの方も多いと思います。これを契機に、日本でもＮＦＴに対する関心が一気に高まりました。

ただこの時点では、ＮＦＴが何なのか、よく理解されていなかったことも事実でしょう。ＮＦＴは、Non Fungible Token の頭文字。日本語にすると、「代替できない価値を持つ**トークン**」となります。これまで、デジタルデータはコピーできるから、代替可能と思われていたのですが、ブロックチェーンの技術を使うことで、デジタルでありながら、代替できない、つまり、唯一無二な価値を持ちえるものが登場したということです。くわしくは第2章に譲りますが、アート作品だけではなく、唯一の価値を持つものをNFT化する試みは、今後、確実に増えていくでしょう。

現実には、お金に換算できない価値も数多く存在します。NFTという仕組みを使えば、それらを1つの価値として扱うことができる。人の思いや情熱、信仰心、あるいは日々の善行、学位といった非金銭的な価値を可視化することも可能ということです。

時代の変化に取り残されないために必要なものは2つ――テクノロジーに対する「リテラシー」と、そのテクノロジーによって社会はどう変わるのかという「ビジョン」です。

テクノロジーがもたらす新時代をどうとらえ、いかなる意識で迎えていけばいいのか。本書からそのヒントを得ていただけたら、著者として望外の喜びです。

伊藤穰一

『テクノロジーが予測する未来』目次

序章 web3、メタバース、NFTで世界はこうなる

第1章 働き方——仕事は、「組織型」から「プロジェクト型」に変わる

第2章 文化——人々の「情熱」が資産になる

第3章 アイデンティティ——僕たちは、複数の「自己」を使いこなし、生きていく

第4章 教育——社会は、学歴至上主義から脱却する

第5章 民主主義――新たな直接民主制が実現する

第6章　すべてが激変する未来に、日本はどう備えるべきか

序章
web3、メタバース、NFTで世界はこうなる

Web1・0、Web2・0、そしてweb3は、どんな革命を起こしたか

インターネットの黎明期を思い出すと、単純に「つながる」こと自体が、楽しくワクワクしたものです。そんな気持ちが、ふたたびweb3によって、よみがえってきたかのようです。改めて、web3に至るまでの経緯を簡単に振り返っておきましょう。

Web1・0、Web2・0、web3がどう異なるのか？　ここでは、結果として「誰をディスラプトしたのか」＝「ひっくり返した相手」から比較してみましょう。

いちばん最初にインターネットの黎明期がありました。この画期的なテクノロジーによって、グローバルにネットワークがつながるようになった。ただし、まだ実態としてはeメールでつながるくらいであり、「ウェブ」と呼べるものは存在していません。主に大学や研究機関がつながっていた頃です。この時代を仮に「インターネット0」と呼ぶことにします。

日本では、このインターネット0の時期に電話会社がひっくり返されました。当時、日本の通信事業は、事実上、NTTによる独占状態でしたが、「NTTのダークファイバー（未使用回線）の開放」や「接続料のアンバンドル化（パソコン・インターネット・回線接続会社などを別々の事業者に分割すること）」などの施策がとられたことで、他社もインターネット事業に参入できるようになりました。

こうした基礎の上に訪れたのが、Web1・0の時代。ここでひっくり返されたのはメディアと広告業界です。

Web1・0は、よく概念的に「つなぐ」と表現されます。そのとおり、ブラウザ（ウェブサイトを、PCあるいはスマートフォンで閲覧するソフトウェア）さえあれば誰もが情報を公開し、また、誰もが情報にアクセスできる。インターネットが、網のように張り巡らされたウェブを通じて、情報の発信者と受信者を「つなぐ」ようになったわけです。

これ以前は、情報を公開する方法は紙媒体の出版物や新聞、電波による発信を行う放送しかありませんでした。それがWeb1・0では「出版社・放送局を介する」という手順を飛び越え、ホームページを通じて発信者と受信者がダイレクトにつながることが可能になりました。同時に多くの人々をウェブに呼び込むことで、ウェブのビジネスモデルとして広告が定着することになりました。

また、**eコマース**（インターネットを使って売買をすること）の普及もWeb1・0の特徴的な現象です。

続いて訪れたのがWeb2・0の時代。概念的には「インタラクティブ（双方向の）」と表現されることが多いWeb2・0では、**ポータルサイト**がディスラプト＝ひっくり返されました。

Yahoo! に代表されるポータルサイトとは、1つのサイト内にさまざまなコンテンツの「入り口」を設け、ユーザーは、まずこのポータルを訪れてから、自分が求める各コンテンツに飛ぶというもの。

情報の発信者と受信者をつないだWeb1・0では、ポータルサイトが流行しました。そしてウェブのコンテンツが細分化され、検索キーワードをもとにページ単位でマッチングするようになったものがGoogleなどの検索エンジンです。それがWeb2・0でソーシャルメディアが登場したことで、次第に力が弱まっていきます。

Web1・0は、あくまでも「発信者→受信者」という一方向の情報発信だったところへ、よりユーザー主体でインタラクティブなウェブ空間が現れた。Web2・0では、誰かが一方的に情報を発信するのではなく、不特定多数のユーザーが自分の意見を書き込んだり体験をシェアしたりできるようになりました。これが**SNS**（ソーシャル・ネットワーキング・サービス）と呼ばれるソーシャルメディアです。

たとえば、まずポータルサイトに行って、そこから気になったニュースのリンクに飛ぶのではなく、TwitterなどのSNSで自分がフォローしている人やニュースソースがシェアしたリンクに飛んでニュースを読む。皆さんも、いまではこうした情報との接し方をすることが多いでしょう。

CGM（Consumer Generated Media）と呼ばれる口コミサイトもソーシャルメディアの一種です。レストランのレビューサイトでは、皆さんがご存じのように、何か権威的な存在によって一方的に価値が示されるのではなく、レストランに行った個人の口コミの集積によってレストランの実力が評価されます（星3・5などというように）。

Web2・0では、このように情報の入り口がポータルサイトからソーシャルメディアへと移り変わりました。

とはいえ、「1つの場にユーザーを囲い込んでいる」という構図は、Web1・0のポータルサイトもWeb2・0のソーシャルメディアも変わりません。Yahoo!もGoogleもTwitterもFacebookも、ある意味、ユーザーを囲い込み、支配しているプラットフォームであるという点では同じです。

そこに劇的な変化が起ころうとしているのがweb3です。

web3のキーワードは「分散」

さて、web3（※1）がWeb1・0、Web2・0と決定的に違っている点は、ひとことでいえば「分散的＝非中央集権的」ということにつきます。

金融システムや組織ガバナンスなど、あらゆる層で分散化（非中央集権化）が起こってい

※1　本書で「web3」と表記するのは、web3が持つ非中央集権的な意味合いを持たせるためである。

るのがweb3のすごいところなのですが、ここまで話してきた文脈でいうと、「1つの場にユーザーを囲い込んでいるプラットフォーム」が力を失いつつあるということでもあります。

インターネットを、大きく「プロトコルレイヤー」と「アプリケーションレイヤー」に分けて考えてみましょう。

ここでは技術的な説明は割愛しますが、**プロトコル**とは、コンピューター同士が通信を行う際の手順を仕組み化したもの（HTTP〈ウェブ情報をやりとりする通信規格〉やFTP〈ファイル転送のための通信規格〉）、いわばインターネットのインフラです。それを担っている層がプロトコルレイヤーです。対するアプリケーションレイヤーとは、こうしたインターネットの仕組みを使って、人々にさまざまなサービスを提供する層です。

水道やガスという社会インフラの上に人々の生活があるように、プロトコルレイヤーという技術インフラの上に、人々が日常的に使うGoogleやFacebookといったアプリケーションレイヤーがあります。

Web1・0、Web2・0は、アプリケーションレイヤーにお金が集まる時代でし

Web1.0、Web2.0とweb3のレイヤーの価値の比重の違い

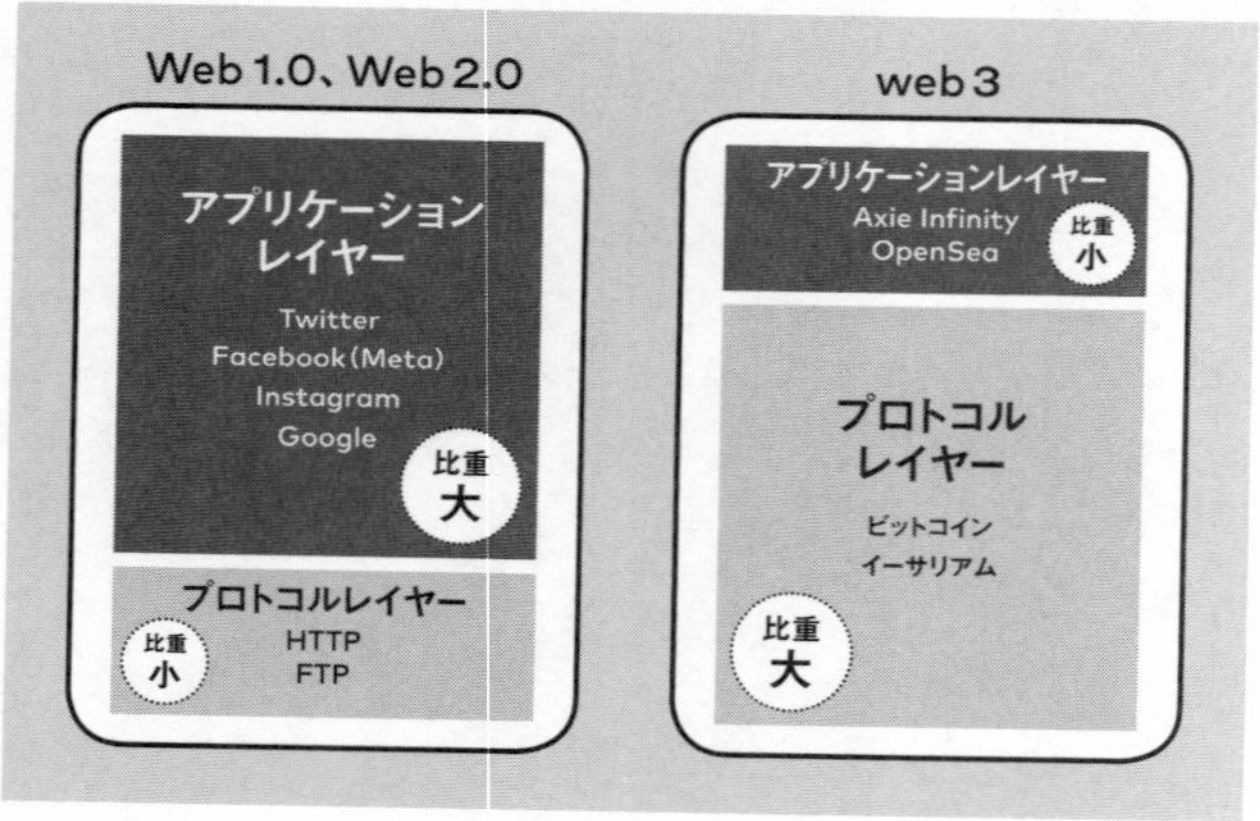

た。それは、世界を支配している主要企業「GAFA（※2）」にGoogle、Amazon、Facebook（現在のMeta）が入っている一方、プロトコルレイヤーにいる企業はそもそもないことからも明らかでしょう。

ところがweb3では、この「薄いプロトコルレイヤーの上に分厚いアプリケーションレイヤーが乗っかっている」という構図が逆転しています。まさに中央集権的なプラットフォームがひっくり返されようとしているのです（上図参照）。

web3の重要なインフラは、「ブロックチェーン」という技術です。ブロックチェー

※2　FacebookがMetaに社名変更して以降は「GAMA」とも呼ばれることがある。

ンとは、簡単にいうと「暗号技術を使って決済（支払い）などの取引履歴（トランザクション）を1本の鎖のようにつなげて記録する（その記録は誰もが閲覧可能）」という技術。web3のプロトコルレイヤーには「Ethereum（イーサリアム）」などがあります。

その上に乗っかっているアプリケーションレイヤーに、たとえばNFTゲームの「Axie Infinity（アクシー・インフィニティ）」や、NFTマーケットプレイスの「OpenSea（オープンシー）」があるという構図です。

そしてWeb1・0、Web2・0の時代とは逆に、アプリケーションレイヤーよりもプロトコルレイヤーのほうに多くのお金が集まっているというのが、web3の特徴です。

「お金が集まっている」と表現しましたが、この話の本質は、どちらのレイヤーのほうがお金持ちか、ということではありません。

アプリケーションレイヤーが強かった頃は、ある1つのプラットフォーム上で構築したネットワークや、ある1つのプラットフォーム上で行った取引を、それ以外のプラットフォームに持ち出すことは基本的にできませんでした。

たとえばSNSの場合、Facebook では Facebook のアカウント、Twitter では Twitter のアカウントというようにSNSごとにアカウントを開設し、誰かをフォローしたり誰かにフォローされたりというネットワークを築きますが、そのネットワークを別のSNSに持ち出すことはできません。自分のネットワークであるにもかかわらず、それは自分の所有物ではなくプラットフォームの所有物だからです。

しかしweb3では、自分の取引記録となるトークン、たとえば所有しているデジタルアートのNFTなどは、すべてブロックチェーンに記録されます。あくまでもインフラであるブロックチェーンはどこのアプリケーションの所有物でもありませんから、アプリケーションの縛りなく、そのデジタルアートをどこへでも持ち出せます。

たとえば、OpenSea でデジタルアートを購入したとしましょう。Web2・0までの世界観だと、そのデジタルアートは OpenSea でしか扱えませんが、web3では、購入した時点で、そのデジタルアートのトークンが自分のウォレット（ブロックチェーンに記録されたトークンを入れておく「お財布」）に入ります。

つまり、購入した個人が「所有」していることになる。だから自分のウォレットに接続すれば、OpenSeaで購入したデジタルアートを別のＮＦＴマーケットプレイスでも扱うことができます。

さて、このようにプロトコルレイヤーのほうが分厚く、アプリケーションレイヤーのほうが薄くなり、プラットフォームの垣根を軽々と越えられるようになったことは、何を意味するのでしょうか。

端的にいえば、プラットフォームのユーザー囲い込み力が相対的に弱くなっていく可能性があるということです。

１つの場を提供し、そこにユーザーを呼び込むというＷｅｂ１・０、Ｗｅｂ２・０のプラットフォームは、かなり中央集権的でした。その弱体化をもたらしたｗｅｂ３は、プラットフォームとユーザーの関係性の「非中央集権化」を意味するのです。ｗｅｂ３によって僕たちは、プラットフォームの囲い込みから解放される、そういってもいいでしょう。

世界はディストピア化する？

ここまで読んで、「Ｗｅｂ１・０からの変遷は何となくわかった。でも実際、ｗｅｂ３の何がいいの？　リスクはない？」という疑問が浮かんでいるかもしれません。

ここで、ｗｅｂ３のメリットとデメリットをまとめた一覧表をシェアします（次ページ参照）。

デメリットを見ると一気に気持ちが萎（な）えてしまうかもしれませんが、そこよりも可能性のほうに注目し、現実のものとなるよう、デメリットを解決する技術を研究開発していくべき、というのが僕の立場です。

実際、まだまだ広く知られてはいないけれども、ｗｅｂ３の可能性を早くも感じ取り、すでにさまざまなかたちでコミットしている一部の人々の間では、ものすごくワクワク感が高まっている。この雰囲気はＷｅｂ１・０の頃、１９９０年代とよく似ていると思います。

web3がもたらすもの

メリット	デメリット
・よりよい技術による、より安定的かつ効率的な経済と社会の実現	・貨幣ではない「トークン」が流通する新しい経済圏が国家にとってリスクとなる
・国家から独立して、やりたいことをする自由	・環境負荷が高い
・ビジネスチャンス	・社会の不平等を増大させる
・抑圧的なヒエラルキーや硬直化した官僚主義のないガバナンス	・セキュリティやスパムフィルターの技術が発展途上
・より自由でフェアな経済、社会への進化	・現時点では「自己責任」の比重が大きい

もちろんリスクがないわけではありません。

まず考えられるのは、ハッキングによって巨額の資金が不当に引き出されるなどのサイバー犯罪の危険性。たとえば2022年3月末、前述のNFTゲーム、「Axie Infinity」を支えるブロックチェーンのインフラがハッキングされ、イーサリアム内で使用される仮想通貨・イーサ（ETH）とドルの合計約6億2000万ドル相当が盗まれるという事件が起こりました。

今後、web3に関わる日本人が増えれば増えるほど、日本人が大きな損害を被る（こうむ）事件も起こってくるでしょう。

また、「ｗｅｂ３では資本主義の悪しき側面が強化され、ますます経済格差が大きくなる」といったリスクを指摘する声もよく聞きます。後ほどくわしくお話ししますが、人々のｗｅｂ３との関わり方によっては、それが現実となる可能性も否めません。

しかし、危険だから、問題があるからといって、ｗｅｂ３を無視したり、いっさい関わらないと決めたりするのは、はたしてどうなのでしょう。ｗｅｂ３で可能になることの幅広さを考えると、それはあまりにも惜しいことだと僕は思います。

危険を避けながら、ｗｅｂ３で何かをやってみることは可能です。そのためのリテラシーを身につけるうえでも、本書を役立てていただけたらうれしいです。

2022年はなぜ、「web3元年」になったのか

ｗｅｂ３では、**「クリプトエコノミー」**という新しい経済圏が形成されています。

この経済圏では、円やドルといった法定通貨（フィアット）ではない暗号資産（クリプト＝仮想通貨やトークン）が流通しています。くわしくは後のほうで述べますが、近年、何かと

話題のNFTも、クリプトエコノミーで流通するトークンの一種です。

また、独自の金融サービスとして、暗号資産をプールしておくと自律的に運用される「**DeFi**（ディーファイ）」や、独自のガバナンス形態として、トークンのやりとりを介してプロジェクトやアプリケーション（**DApps**（ダップス））を走らせる無数の「DAO」があります。

・DeFi――Decentralized Finance＝分散型金融
・DApps――Decentralized Applications＝分散型アプリケーション
・DAO――Decentralized Autonomous Organization＝分散型自律組織

ほかにもクリプトエコノミーには「D」からはじまるものがたくさんあるのですが、見てのとおり、共通するコンセプトはDecentralized、つまり分散（非中央集権）です。

法定通貨の世界、これを「**フィアットエコノミー**」と呼びますが、そこでは経済や政治は国による管理とトップダウンの決定、企業などの組織運営は経営者による管理とトップダウンの決定と、あらゆることが中央集権的です。

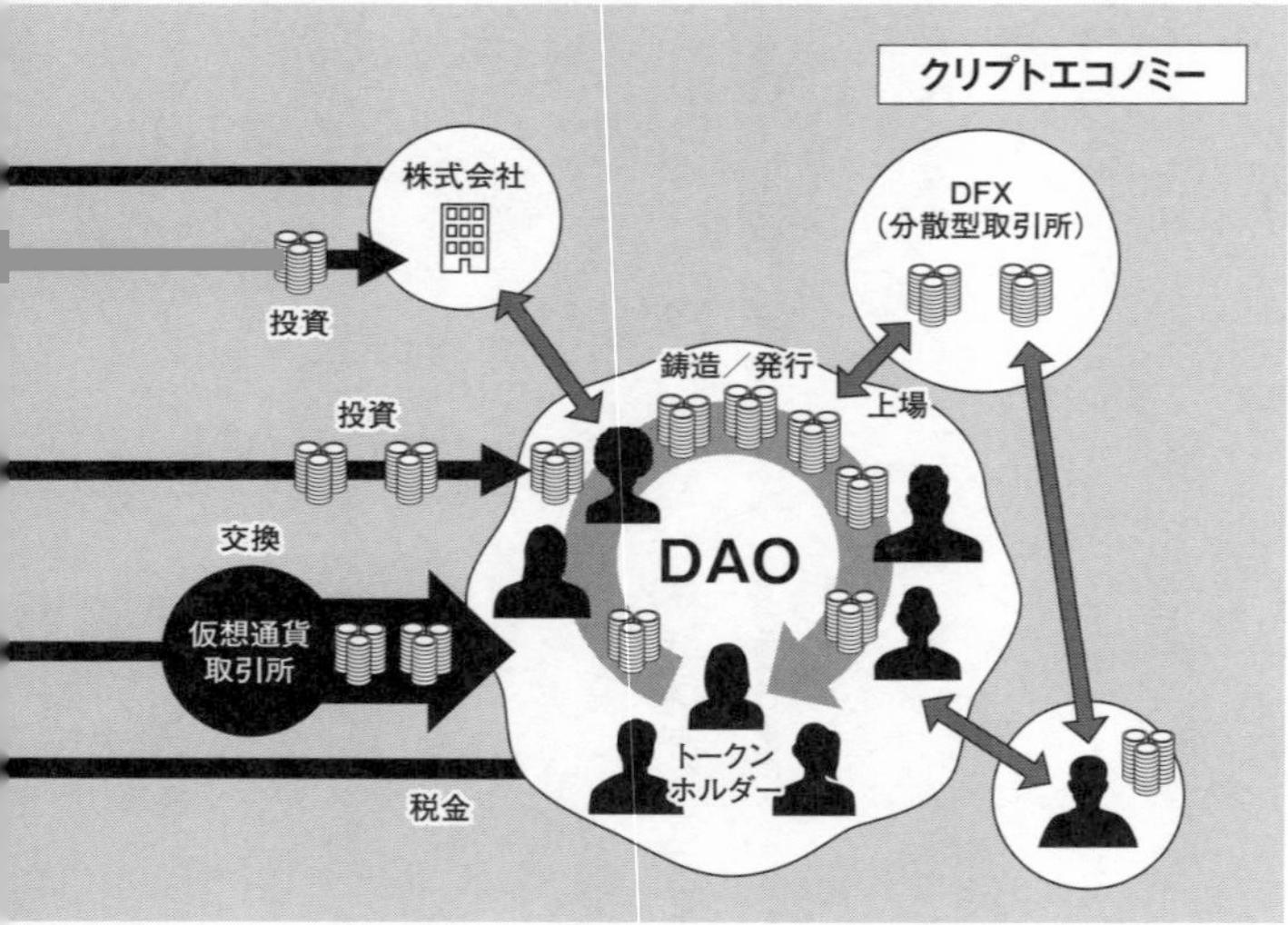

そんなフィアットエコノミーとは別に、多くのプロジェクトが中央集権的な管理者の存在なしに、個人や組織、資産が分散的・自律的に動き回っている経済圏が、クリプトエコノミーなのです（上図参照）。

ここまでのところで皆さんは、何やらよくわからない怪しげな世界……と受け取るかもしれませんが、クリプトエコノミーの成り立ちを知ることが、すでに訪れつつあるweb3というトレンドをつかみ、参入すること、何よりそのおもしろみを

法定通貨の経済から暗号通貨の経済への人口移動がはじまっている

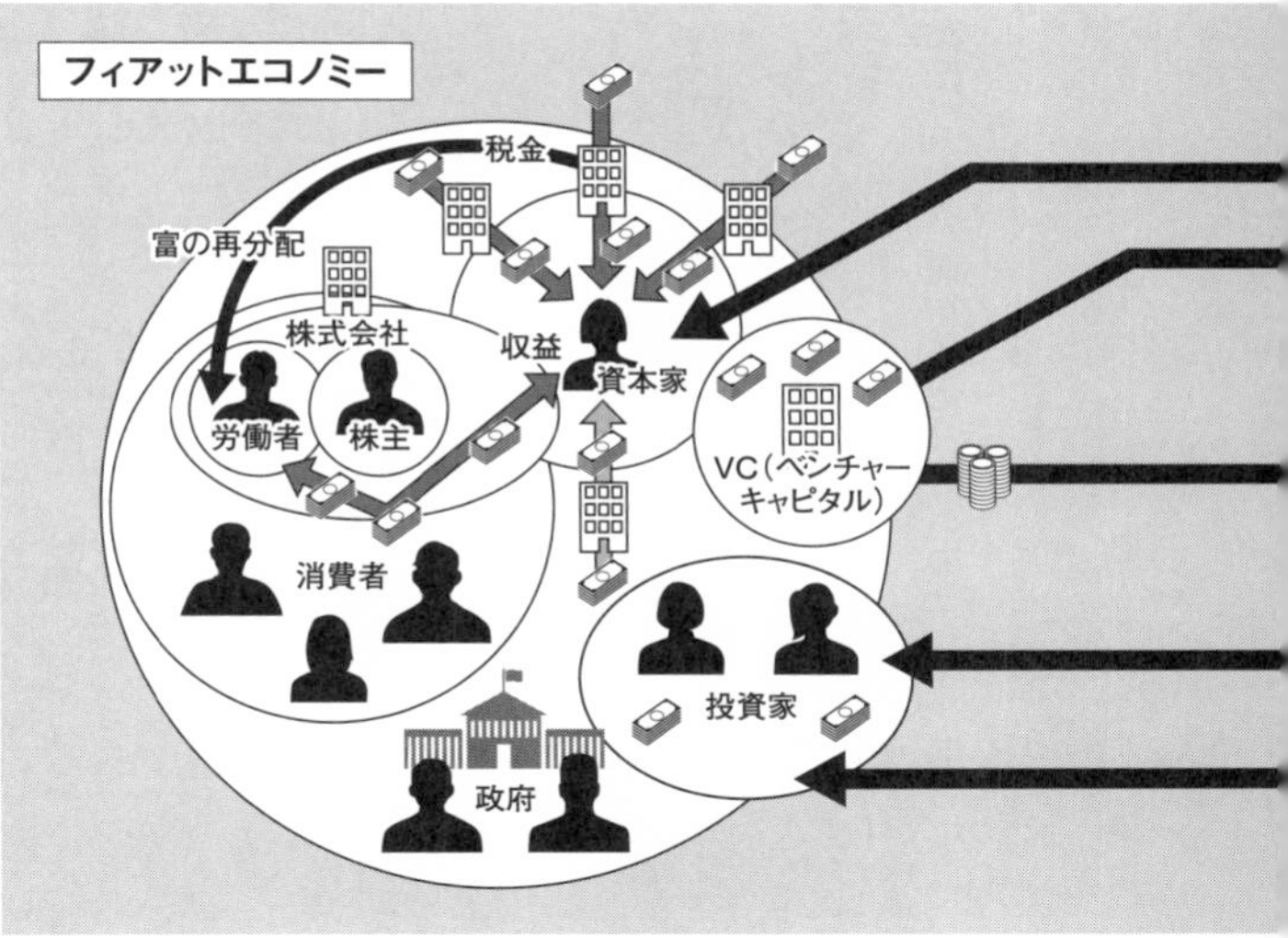

味わう鍵になります。

ｗｅｂ３の重要なインフラがブロックチェーンであることは、すでにお話ししました。「仮想通貨といえば、ブロックチェーンを用いたビットコイン」というイメージを持っている方も多いと思います。

少し歴史をさかのぼってみると、サトシ・ナカモトという人物によって、ブロックチェーンの理論が提唱されたのは２００９年１月。そこから２０１６年ごろまでがビットコイン創成期です。つまり10年以上も前から、ブロックチェーン理論も仮想通貨も存在していたのです。それなのになぜ、２０２２年を「ｗｅｂ3元年」とするのでしょうか。

結論からいうと、トークン全体の時価総額が急激に上がると同時に、トークノミクスを形成する条件が整ったからです。

まず、２０２１年にＮＦＴが世界で大ブレークしました。

「**Beeple**（ビープル）」という名前に聞き覚えはないでしょうか。２０２１年3月、アメリカのオークションハウス、クリスティーズのオンラインセールで、デジタルアーティスト・BeepleのＮＦＴアートが約75億円で落札されました。このニュースは世界中を駆け巡り、日本でもＮＦＴに対する関心が一気に高まりました。

一気に関心が高まったのは、ひとえに「わかりやすいから」でしょう。

「Beepleというデジタルアーティストの ＮＦＴアートが、伝統あるオークションハウスで75億円もの高額で落札された」

「9歳の子が描いたデジタルアート『zombie zoo（ゾンビ・ズー）』の取引総額が４０００万円相当になっている」「大人気の NBA Top Shot では、選手の名プレー動画のＮＦＴがトレーディン

※3　仮想通貨を使った資金調達の手法である（ICO）が大きな注目を集めた時期。詐欺も多発した。
※4　ICOを契機として起こった「仮想通貨バブル」が崩壊し、相場が低迷した時期。
※5　さまざまなDeFiプロジェクトが誕生し、急成長した時期。

web3の歴史

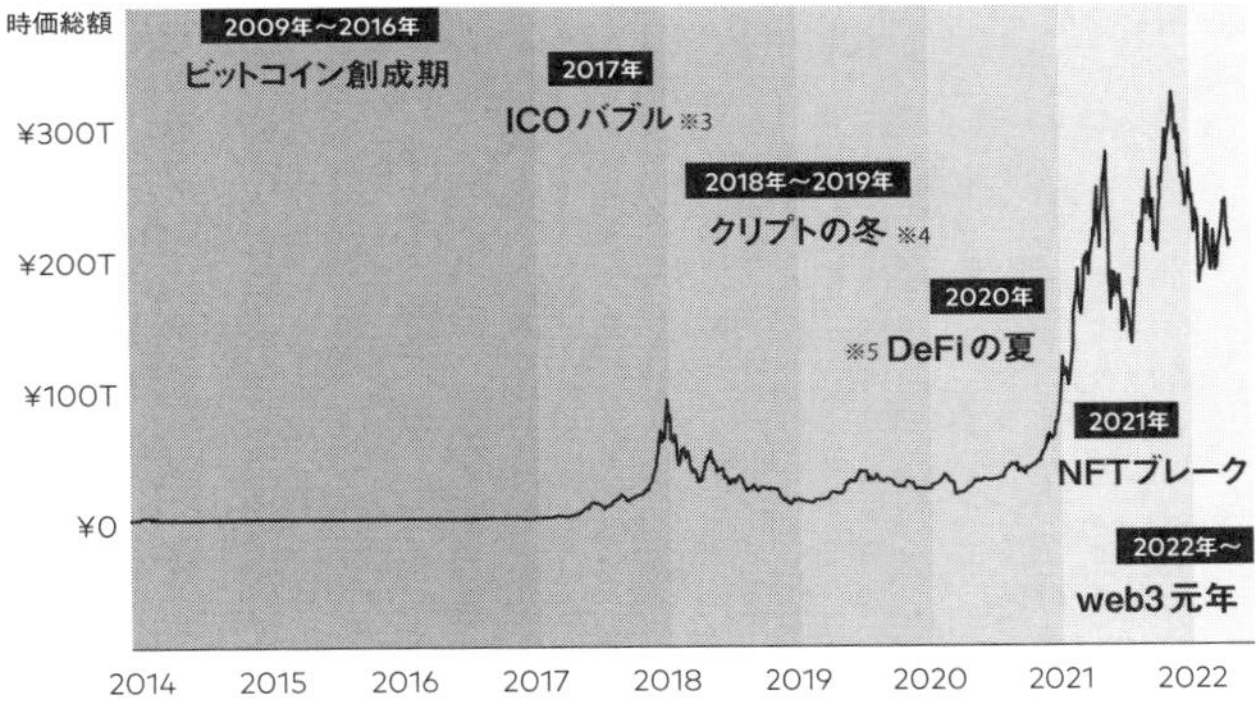

出典:https://coinmarketcap.com/ja/charts/のグラフを基に、編集部で作成
※グラフは2022年4月20日時点のもの

グカードとして取引されており、高額のものだと数千万円にもなる」

などなど、ＮＦＴの話題は映像や写真として「画になる」ため、メディア的に非常に扱いやすく、「ブロックチェーン」「仮想通貨」という話にはピンときていなかった層にも瞬く間に届きます。２０２１年のＮＦＴのブレークは、こうしたＮＦＴのわかりやすい一面が、メディアという拡声器によって広く伝えられたことで起こったところが大きい。

ともあれ、この２０２１年のＮＦＴのブレークをきっかけとして、いよいよ２０２２年からは本格的にｗｅｂ３時代がはじまると目されている。これが、２０２２年が「ｗｅｂ

3元年」と呼ばれる理由です。

前ページの図を見ていただければ、先ほど述べた「トークン全体の時価総額が急激に上がった」というのが、決して大げさでないことが見て取れるでしょう。

加速するクリプトエコノミーへの人口移動

さて、トークン全体の時価総額が急激に上がったというのは、それだけ多くの資金がクリプトエコノミーに流れ込んでいるということです。

イーサリアムのユニークアドレス数は、複数アドレスを所有している人もいるかもしれませんが、現在、世界で2億人ほど。これを現在のクリプトエコノミーの人口と考えると、世界人口78億人の約2・5％がクリプトエコノミーで何らかの経済・社会活動をしていることになります。

世界人口の約2・5％というのは、Ｗｅｂ１・０の頃、１９９８年のWindows98リリース前後のインターネットユーザー数に近い数字です。したがって、まだまだｗｅｂ３は

※6　税法改正については、本書を執筆している最中にも様々に議論されている。

黎明期にあるといえますが、今後、クリプトエコノミーへの人口移動は加速するでしょう。

ここで特に日本に特異的な事情として触れておかなければならないのは、クリプトエコノミーに流入した資金が、なかなかフィアットエコノミーに戻ってこなくなっていることです。

なぜかというと、暗号資産を法定通貨に戻す際に、暗号資産取引所の手数料がかかるうえに、フィアットエコノミーに戻った資金には最大55％の税金がかかるからです。株式投資による収入にかかる税金は最大20・315％であることを比べると、暗号資産には重税が課せられているといえます（※6）。

暗号資産取引所と税金。この二段構えで資産が目減りしてしまうので、クリプトエコノミーで資産を増やした人たちは、あえて法定通貨に戻さず、関心のあるプロジェクトDAOのトークンやNFTに投じたり、DeFiに入れて運用したりしています。

こうして「クリプトエコノミーで生まれた資産が、クリプトエコノミーのなかで循環する」という現象が大規模に起こっているのです。

クリプトエコノミーにはどんどん資金が流れ込む一方、クリプトエコノミーからフィアットエコノミーへの還流はさほど起こっていないというのが現状です。

web3とは、「トークン」が行き交う世界

ここで、先ほどから登場している「トークン」について説明しておきましょう。これは、web3のエコシステムを理解するうえで欠かせない概念です（次ページ図参照）。

トークンは、まずファンジブルトークン（代替／交換可能なトークン）とノン・ファンジブルトークン（代替／交換不可能なトークン）に分けられ、ファンジブルトークンには通貨的なトークンと証券的なトークンがあります。

ファンジブルトークンのうち通貨的なトークンには、「**ステーブルコイン**」や「ペイメントトークン（またはユーティリティトークン）」と呼ばれるものがあります。

トークンの種類

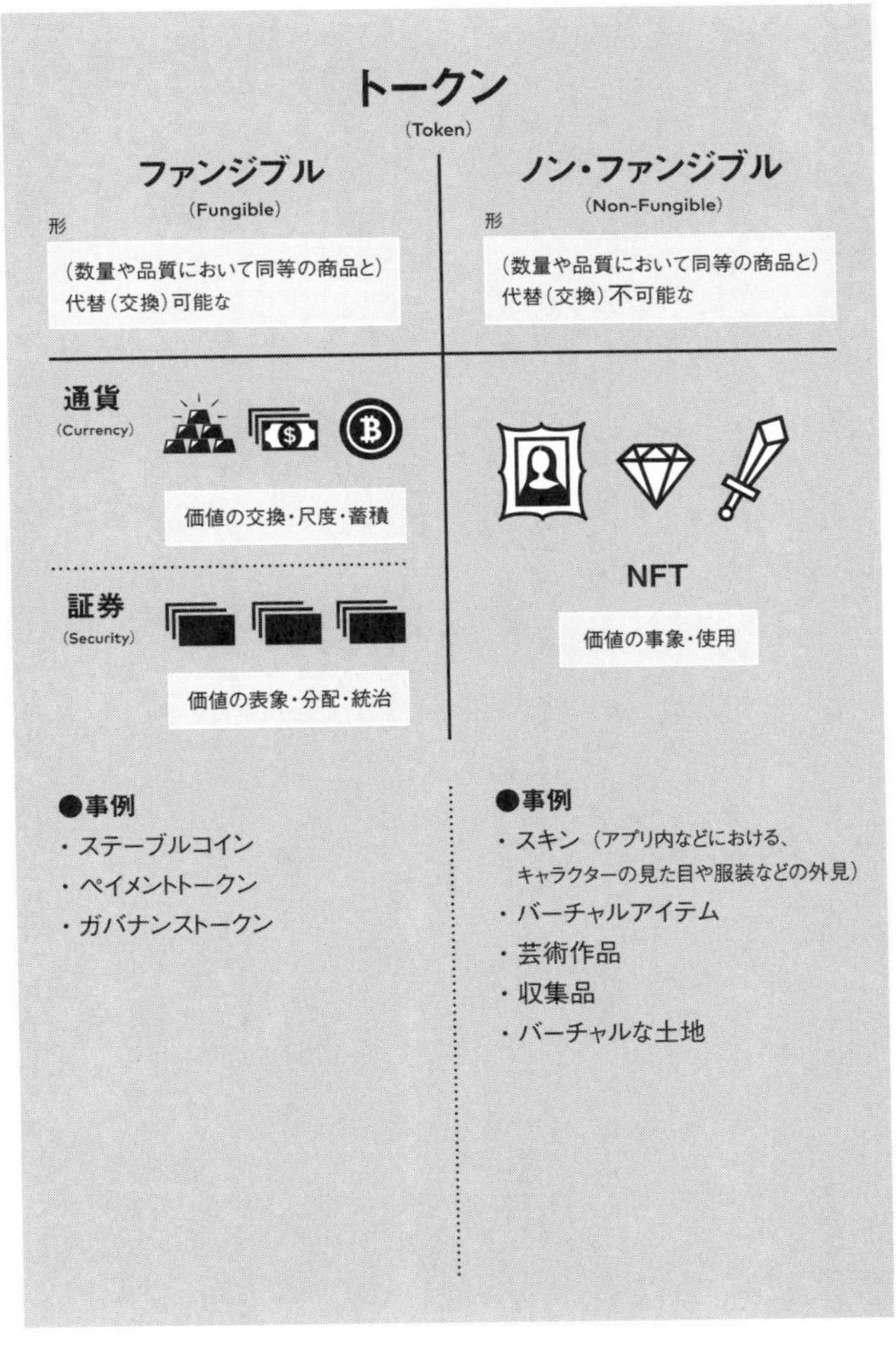
トークン
(Token)
ファンジブル
(Fungible)
形
(数量や品質において同等の商品と)
代替(交換)可能な
ノン・ファンジブル
(Non-Fungible)
形
(数量や品質において同等の商品と)
代替(交換)不可能な
通貨
(Currency)
価値の交換・尺度・蓄積
証券
(Security)
価値の表象・分配・統治
NFT
価値の事象・使用
●事例
・ステーブルコイン
・ペイメントトークン
・ガバナンストークン
●事例
・スキン(アプリ内などにおける、
キャラクターの見た目や服装などの外見)
・バーチャルアイテム
・芸術作品
・収集品
・バーチャルな土地

ビットコインやイーサは価格変動が大きく、「お金」として使うには勝手が悪いものです。

そこで、ドルなどの法定通貨に価格を固定することで、仮想通貨の価格が安定するよう設計されたのがステーブルコインです。別の仮想通貨との交換比率を固定化する、アルゴリズムによってコインの流通量を調整するなど、さまざまな仕組みがあります。

ペイメントトークンは、文字どおり決済に使われるトークン。これらはフィアットエコノミーでいうところの「お金」と同等の機能を持つものなので、イメージしやすいでしょう。

同じファンジブルトークンでも、証券的なトークンとして「ガバナンストークン」があります。ガバナンストークンとは、自分が参加しているDAOの投票権になったり、利益を還元する権利になったりするものです。これは議決権や株主配当の機能に似ており、フィアットエコノミーでいうところの「株」のようなものです。なお、その法的な位置づけについては、現在、世界でさまざまに議論されているところです。

プロジェクトが成長し、DAOの価値が上がれば、自分が持っているトークンの価値も上がります。そこで株のように売却すれば、キャピタルゲインを得ることができる。まさにガバナンストークンは証券的なトークンといえます。

一方、ノン・ファンジブルトークン、すなわちNFTとは、アートやゲームのアイテム、トレーディングカードのような収集性のあるグッズ、デジタルファッション、さらにはバーチャルな土地など「代替不可能な価値」を表すトークンです。

驚くような値段がついたデジタルアートばかりが注目されていますが、本質的には、NFTとはクリプトエコノミーのなかで流通、あるいは保有されている「価値」であるというのが正確な理解です。

web3とは、つまり、これら3種類のトークンが行き交う世界です。

たとえば、自分の保有するトークンとステーブルコインをペアにしてDeFiにプールしておくと、そこに取引所としての流動性が生まれます。DeFiでは、絶え間なくトークン同士のスワップ（交換）が自動的に行われ、インカムゲインや手数料収入をトークンで得られます。

あるいは、仮に「日本の空き家問題を解決しよう」というプロジェクトのDAOに賛同したので、資金を出して参加することに決めたとしましょう。参加するには、そのDAOが発行するガバナンストークンを購入するだけです。

DAOでは「株主」や「経営者」や「従業員」という区分はなく、皆が「トークンホルダー」という点で同じ立場です。もちろん最初にDAOを立ち上げた人たちが中心となって物事を動かしてはいますが、いわゆる会社組織にあるような上下関係は存在しません。

そんなDAOでは、トップダウンの意思決定ではなく、参加者全員による民主的なプロセスで物事が決められます。

トークンを持っていることで、そのDAOで行われる議決に票を投じることができる、つまりガバナンスに参加できる。

ちなみにトークンは、ほかのコミュニティメンバーにあげることもできます。たとえばDAO内で自分の専門外のことで議決をとることになったら、その分野のエキスパートに直接、投票権を委任できるということです。

大勢による一斉投票は往々にして雑で衆愚的になりがちですが、分野ごとのエキスパートに委任できる仕組みがあれば、議論がエキスパートである人々の間に集約され、より正しい決定を下すことができます。それでいて、自分の投票権を誰に委任するかは自分が決めるわけですから、民主性は保たれます。

また、参加しているDAOの価値が上がったところで保有トークンを売却し、キャピタルゲインを得ることも考えられます。

さらに、NFTマーケットで好きなNFTを買い、価値が上がったら売却する。ここでもクリプトエコノミー内での資金の循環が起こります。もちろん、NFTの価値は非代替的ですから、たとえばNFTのデジタルアートをコレクションとして大事に所有し、自分で楽しんだり、SNSのプロフィールアイコンにしたりするというのも、よく見られるケースです。

「通貨」でしかないビットコイン、「コミュニティありき」のイーサリアム

そして、これほどさまざまな価値を提供しているトークンの発行を可能にしている基盤こそ、「イーサリアム」なのです。

イーサリアムもビットコインも、「暗号化」に基づくブロックチェーンを用いた仮想通貨のプログラムですが、両者には、まったく異なる思想的背景があります。

世界で初めてブロックチェーンを用いて開発された仮想通貨・ビットコインは、もちろん画期的でした。その背景には国家による統制を逃れようとするリバタリアン的な発想があります。強固なセキュリティが担保された、ひたすら非中央集権的な仮想通貨です。

一方、２０１５年に生まれたイーサリアムがもたらしたものを考えると、これはビットコインとは別の意味で画期的といえるのです。

ここで、皆さんにぜひ知っておいてもらいたいのが、「コミュニティ」が重きをなすと

いうweb3の特性です。通貨的／証券的ファンジブルトークンとNFTが行き交うweb3とは、「コミュニティありき」の思想的背景を持つイーサリアムがあって初めて成立しているといっていいでしょう。

あるとき「BANKLESS（バンクレス）」というポッドキャストで、ビットコイン派とイーサリアム派の興味深い議論を聞きました。

概要だけ述べると、ビットコイン派が「（セキュリティ面でビットコインより弱い）イーサリアムが失敗したらどうするんだ」と言うのに対し、イーサリアム派は「話し合って解決する」と答え、さらにビットコイン派が「そんなの〝トラストレス〟じゃない」と返す。これの何が興味深いかというと、お互い信じているものが違うという点です。

ビットコイン派の言う「トラストレス」とは、「誰も信じない」という思想です。そのために頑強なセキュリティを構築し、非中央集権性を叶えている。しかし一方のイーサリアム派は、中央集権的ではないコミュニティがあることを大前提として「何かあったらコミュニティで相談して解決すればいい」と考えます。この点で両者は根本的に考え方が違うわけです。

また、ビットコイン派の美学は「買って売らない」ことにある一方、イーサリアム派の人たちは、その基盤で発行されたさまざまなトークンを盛んに売ったり買ったりしています。

たとえば、アーティストが自分のNFTアートが売れたら、そこで得たイーサで別のアーティストのNFTアートを買うというように、アーティスト同士の投資が活発なおもしろい場になっているのです。同志、仲間を互いに盛り上げていこうという、やはり「コミュニティありき」のイーサリアムからはじまった思想が、ここにも垣間見られます。

ビットコインは、トラストレスで非中央集権的であるために、いままでは主に「通貨」としてしか機能していません。イーサリアムと比べて、プログラム言語を使って運用・管理しにくいために、開発が難しかったのです。いまでは、イーサリアムでできるようなことをビットコインでできるよう開発している人たちもいます。

一方、イーサリアムは、ビットコインのような通貨としての機能にみずからを閉じ込めませんでした。「スマートコントラクト」（あらかじめ取り決めた処理を自動的に実行し、ブロック

※7　IPとは、Intellectual Propertyの略。スポーツやキャラクターなどの知的財産を持つ企業。
※8　Decentralized Identityの略。非中央集権的なID管理システムで、データ保有者が自分の属性情報を操作可能。
※9　Software as a Serviceの略。インターネットを通じ、サーバー上のサービスをユーザーが利用すること。

web3のエコシステム

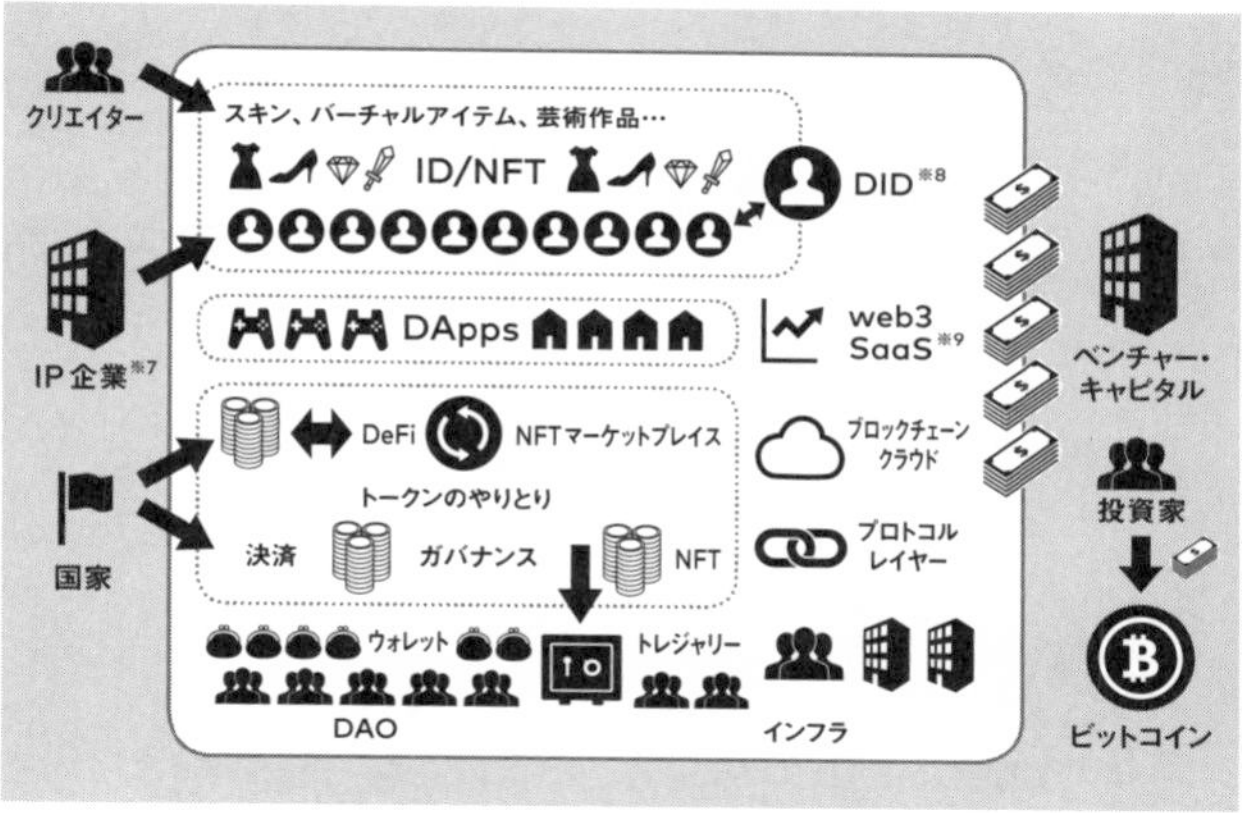

チェーンに記録するデジタルな契約書のようなもの）などの仕組みを備えることで、イーサリアムはさまざまなアプリケーションの開発ができるようにしたのです。

簡単にいうと、ビットコインは通貨、イーサリアムは通貨であると同時にインフラ（基盤）でもある、ということです。

ＤＡＯ、ＮＦＴ、ＤｅＦｉ……、ｗｅｂ３を構成する要素は、すべてイーサリアムというインフラ上で可能になったものです。いわばブロックチェーンを技術転用することで、イーサリアムは、コミュニティベースで成立するクリプトエコノミーを生成し、「分散」をキーワードとするｗｅｂ３の多様な経済・

社会活動を可能にしているのです（前ページ図参照）。

いまやそうしたインフラとなるブロックチェーンはイーサリアムだけではなく、異なる技術アプローチを用いたものがいくつも登場しています。

Web1・0は「読む」、Web2・0は「書く」、web3は「参加する」

「コミュニティありき」という視点を踏まえて、ここで改めてWeb1・0、Web2・0、web3の変遷について考えてみましょう。

端的にいえば、Web1・0ではグローバルに「read＝読む」ことが可能になり、Web2・0ではグローバルに「write＝書く」ことが可能になり、そしてweb3ではグローバルに「join＝参加する」ことが可能になりました。一般にはweb3は「own＝所有する」という言葉がよく使われていますが、僕はあえて「join＝参加する」と表現したいと思います。

つまりＷｅｂ１・０、Ｗｅｂ２・０、ｗｅｂ３という流れのなかで、できることが「変化した」のではなく、「増えた」ということです。

ＤＡＯなどは、その典型として特にイメージしやすいでしょう。

１つの目的のもとにＤＡＯを立ち上げ、仲間を募り、集まった人たちが一緒になってさまざまなことを話し合い、決定し、それぞれの責任を果たしながらプロジェクトを運営していく。これは、まさしくコミュニティ参加です。

ＤＡＯでは参加者それぞれが「仕事」をしますが、それはフィアットエコノミーで企業などの組織に属して働くのとは、まったく性質が異なります。

まず、前にも触れたように、ＤＡＯには株主、経営者、従業員という区分がありません。「物事を決定する側、雇用する側」「決定に従う側、雇用される側」という分業体制ではなく、皆がオーナーシップを保有しているところで、そのプロジェクトに自分なりの方法で関わり、貢献していくというかたちで運営されます。

ｗｅｂ３界隈では、よく「**WAGMI**（ワグミ）」というスラングが交わされます。

これは「We Are Gonna Make It.（もしくはWe're All Gonna Make It.）＝自分たちならできる」の略。「誰かが指示をして、誰かが従う」というニュアンスはみじんも感じられず、伝わってくるのは「参加者皆で達成しよう。きっとできるさ！」という仲間意識——とてもweb3的なスラングです。

そして、NFTもまた、実はコミュニティ参加がポイントといえます。

たとえば「デジタルアートを買う」というと、そこで生じるのはアーティストと自分との関係性だけ、もっといえば、購入した後は自分だけで楽しむものと思うかもしれません。

でもNFTの場合は違います。たとえば**Bored Ape Yacht Club**（通称BAYC、以下Bored Ape）の**PFP**（プロフィールピクチャー）（＝自分のアイコンになる画像）のNFTを買うことは、すなわち「Bored Ape」が形成しているコミュニティ」に参加することを意味するのです。

いったんアートとは違う例で考えてみたほうが、イメージしやすいかもしれません。

NFTは非代替性のトークンであるというのは、すでに説明したとおりです。その性質がデジタルアートと親和性が高かったために、まずそこが一気に盛り上がったというだけで、本当は、もっといろいろなものをNFT化できます。

たとえば、コミュニティで何かいいことをしたら発行される「バッジ」みたいなものをNFT化し、その行動をとった人にあげることにします。

するとコミュニティ内での行動をブロックチェーンに記録することになりますから、その行動をとった人にとって、もらったバッジは「所有物」というより、そのコミュニティに「参加」している1つの証しになります。「私はこのコミュニティに参加していて、こんな貢献をしました」という証しです。

デジタルアートのNFTを購入するというのも本質的には同じ話で、やはり「所有」ではなく「参加」という意味合いが強いのです。

実際、Bored Apeというデジタルアートのpfpを持っている人は、Bored Ape主催のイベントに参加できたり、Bored Apeがコラボしている有名企業のNFTを優先的に買えたりと、さまざまな特典があります。

ただデジタルアートを持っているだけでなく、それを持っていること自体が、特別なクラブのメンバーシップとして機能し、さまざまなベネフィットがついてくるのです。

新経済圏で、社会問題が解決する

他方で、クリプトエコノミーの人口が増加すればするほど、どうしてもお金のにおいが強くなるので、テクノロジーを逆手に取った大規模な詐欺が起こる危険性や、流動性が高いためにエコノミー自体が脆弱(ぜいじゃく)になる可能性も考えられます。

このようにリスクもあるため、「問題は皆無であり、このままいけばバラ色の未来が待っている」とは言えません。しかし、かつては「仮想通貨＝金儲け、投機」という文脈でしか語られなかったものが、イーサリアムによってトークンという概念が確立されたことで、はるかに大きな「経済圏」とも呼ぶべき話になっていると感じます。

それをひとことで言い表したものが、先ほど述べた「join＝参加する」なのです。

個々人がクリプトエコノミーのなかで有機的につながり合い、協力してプロジェクトを運営したり、あるコミュニティに参加して互いに価値を高め合ったりするweb3のインパクトは、今後、既存の価値観やガバナンスのかたちをも根底から覆す可能性があります。これは、まったく大げさな見方ではありません。

その気になれば、DAOやNFTを活用して、環境や経済格差、差別、不平等など、既存社会が長く抱えてきた数々の問題を解決していくこともできるでしょう。後の章でも触れますが、そうした文化的・社会的ムーブメントの色彩が濃い取り組みは、すでにいくつも見られます。

何がどうなるかを決めるのは、テクノロジーそのものではありません。僕らがweb3のテクノロジーを使って、どのような社会をつくっていきたいか。どんなゴール設定をして、来たるweb3時代を生きていくのか。それが、いま、問われています。

「メタバース」はどこにあるのか

『テクノロジーが予測する未来』と題した本書は、web3、メタバース、NFTの3つを最重要キーワードに据えています。

web3という次代のインターネットのフェーズでは、イーサリアムによって確立されたトークンが循環するクリプトエコノミーという新たな経済圏が形成されており、2021年に大ブレークしたNFTもトークンの一種である。ここまではすでに説明しました。


残る1つがメタバースです。

メタバースというと、「バーチャルリアリティ」の意味で語られているのをよく見かけますが、本来的にはもっと広義なものです。

この言葉の発祥は、アメリカの小説家で僕の友人でもあるニール・スティーブンスンさんが、1992年に発表した『**スノウ・クラッシュ**』という小説です。連邦政府が弱体化しきった近未来のアメリカを舞台に、オンライン上に築かれた仮想空間「Metaverse」で生きる人々が描かれています。

そこで描かれているメタバースは、ある人は自宅のパソコンからアクセスし、ある人は街中の公衆端末からアクセスする、という具合に、それぞれ違うアクセスモードで入ることができる仮想空間です。

描写自体はバーチャルリアリティっぽいのですが、あらゆる人々が何の障壁もなくメタバースに参加し、コミュニケーションをとったり物品や金銭をやりとりしたりしています。

つまり仮想空間がバーチャライズされていることよりも、オンライン上の仮想空間に誰もが一人前に参加しているということのほうが、本来のメタバースの定義においては重要です。

それに倣ってメタバースをとらえるならば、よく指し示されるバーチャルリアリティだけでなく、バーチャルではないチャットルーム（Discordなど）、3D・2Dのゲーム、SNS、さらにはeメールもまた、メタバースの一部であると考えられます。ただし、単なるコミュニケーション空間をすべてメタバースとしてしまうのは、さすがに広義過ぎます。

web3は、オンライン上で仮想通貨やトークンをやりとりしているというのも大きな特徴です。したがって、オンライン上でのコミュニケーションを前提として、何らかの価値の交換が行われている空間というのが、本書で考えようとしているメタバースの姿としてふさわしいと思います。

このような最新テクノロジーの結びつきが、今後、文化的・社会的ムーブメントの大きなうねりを生むことは間違いありません。そして、いずれはパラダイムシフトが起こっていくでしょう。ｗｅｂ3、メタバース、ＮＦＴを本書のキーワードとした背景には、こうした未来への展望があるのです。

世界はこれから、こうなる

では、来たるｗｅｂ3時代に、結局のところ、世界はどうなっていくのでしょうか。

ガバナンスはトップダウン型からボトムアップ型へ、消費は、大企業主導の大量生産・大量消費型から、より細分化されたリレーション型へ、という具合に、社会のあらゆるところで「Decentralized＝分散化（非中央集権化）」が起こっていく可能性は高いでしょう。

そのなかで、ｗｅｂ3で生まれたさまざまな仕組みが、環境問題をはじめとする社会問題の是正に役立てられていくことも、大いに考えられます。

ｗｅｂ３はある意味、１９６０～70年代、アメリカでヒッピー文化が盛り上がった頃の雰囲気に似ています。

ベトナム戦争中のアメリカで、ヒッピーたちが旧来社会から離反して新しい文化を生み出したように、ｗｅｂ３世代は、経済一辺倒の資本主義的な価値観から離反して、新しい文化を生み出そうとしている。組織に属さずＤＡＯで自分の能力やスキルを発揮したり、ＮＦＴでお金に換算できない価値を大切にしたり、といったことです。

ヒッピー文化は、長引くベトナム戦争に対する厭戦（えんせん）ムードから生まれたムーブメントでした。

ｗｅｂ３が、それと文化的にどこか似た雰囲気を漂わせているのは、いまなお悪化し続ける環境問題や経済格差、それに加えてコロナ禍と、改めてさまざまな問題が噴出している世の中で、特に若者を覆うムードが似ているからなのかもしれません。Ｗｅｂ１・０やＷｅｂ２・０は「インターネット、おもしろいよね」「ＳＮＳ、イケてるよね」というような気軽なノリでしたが、ｗｅｂ３には、社会変革につながるような強い文化的なエネルギーを感じます。

ただし、実際にどうなっていくのかは、人々が何を求めるかによって決まります。場合によっては、まったく新しい中央集権的な存在が台頭してくるかもしれません。

たとえば、ｗｅｂ３では支配的プラットフォームが弱体化すると前に述べましたが、Ｗｅｂ２・０のいちばんの支配者であるGoogleやMetaに代わって、Bored Apeのような人気コンテンツがビジネスの幅を広げ、さらにコミュニティを拡大することで新たな支配者となる可能性も考えられるのです。

ｗｅｂ３については希望ばかりでなく、いくつかの危惧も示されています。ガバナンスの変容によって社会の不平等が正されるという見方がある一方、過度な金融化によって社会の不平等を助長するという指摘があるなど、評価が定まりきっていません。

要は、すべては「可能性」の域を出ないのです。なぜなら、繰り返しになりますが、テクノロジーはツールであり、そのツールを使ってどんな社会をつくっていくのかというゴールは、僕たちが決めることだからです。

よりフェアで平等で持続可能な社会をつくるというゴール設定のもと、テクノロジーを使うのならば、そのとおり、社会はよりフェアで平等で持続可能になり、よりよい世界が訪れるでしょう。

僕個人の所感をいわせてもらえば、**Z世代**と呼ばれる若い人たちは、それほど物欲も強くなく、環境問題などの社会問題に敏感に見えます。その点で高度経済成長期やバブル期の空気を吸ってきた世代とはかなり感覚が違います。

そう考えると、世代交代が進むにつれて、テクノロジーを活用してフェアで平等で持続可能な社会へと向かうべく、大きなパラダイムシフトが起こっていく可能性が高いというのが僕の予測です。

第1章

働き方

仕事は、
「組織型」から
「プロジェクト型」に変わる

ビジネスは「映画制作」のようになる

web3では、個人の働き方は「組織ベース」ではなく「プロジェクトベース」になっていきます。

その主体は「DAO」です。DAOは会社組織ではなく、プロジェクトごとに立ち上げられるので、個人は、自分が興味を持ち、貢献できそうなDAOを見つけるごとに「参加する」というかたちで働いていくことになります。作品ごとに制作チームが立ち上げられて、スタッフや俳優を集めて進められる映画制作のような感じです。

だんだんと会社員の副業・兼業が解禁され、「パラレルキャリア」といった言葉もよく聞かれるようになっている昨今ですが、DAOで働くようになったら、もはや「本業・副業」という概念すらなくなるでしょう。

自分の能力やスキルの使い道は1つとは限りません。DAOに参加した場合、自分はひとりのトークンホルダーになるだけで雇用契約を結ばない場合が多いので、同時多発的に複数のDAOに参加することが当たり前になっていくと思います。

では「自分でプロジェクトを立ち上げたい」という場合はどうでしょうか。

実のところ、現時点でDAOは、法的な立ち位置が曖昧です。狭義でいうと、トークンを発行して資金調達をするものですが、実は、日本ではトークンを発行・上場するだけで重い税を課せられます（そのために、ブロックチェーン開発会社など将来有望な日本のスタートアップが海外に流出するという大問題が起こっているのですが、これについては210ページで後述します）。

したがって、こうした理由から日本でDAOを立ち上げるのは、現段階では事実上、かなり難しいといわざるをえません。

しかし、プロジェクトを立ち上げ、仲間を募って運営していくことなら、暗号資産取引所で流通するトークンとは異なる換金性のない独自トークンだけで可能です。

いま僕は、「Henkaku（変革）」というコミュニティを主宰していて、そこでは独自トークン「$HENKAKU」を発行しています。

ただ仲間が集って何かを一緒にやろうとしている（たとえば学園祭のように）のではなく、トークンのやりとりを通じて何かを生み出すように機能するコミュニティであることが、

DAOのいちばんの鍵です。その意味では、あるアーティストのNFTアートを持っている人たちのコミュニティも一種のDAOと呼んでしまっていいでしょう。

通常、会社をつくるには、弁護士を雇い、定款を書き、自己資本金を準備し、銀行から資金調達し……と時間も手間もお金もかかります。こうした骨の折れる手続きを経て、晴れて会社設立となったら、今度は雇用です。就職・転職サイトに求人情報を出し、ひとりずつ面接するとなると、ここでもまた時間、手間、お金がかかります。

しかし、DAOならば、すべてはブロックチェーン上で行われるため、膨大な書類仕事に追われることもありません。独自トークンの発行なら5分程度、Discordのサーバーを立ち上げるなら10分程度もあれば済んでしまいます。感覚的には「Facebookグループをつくる」くらいの手軽さです。

ただし、これほど手軽につくれるからといって、DAOは決して信頼性に欠けるわけではありません。

企業の事業内容や信頼性をはかるには、定款や財務諸表を読み込む必要がありますが、

ＤＡＯが発行するトークンは、すべてブロックチェーンに記録されます。ブロックチェーンならば、誰もが簡単に参照できて、しかも事実上、改竄（かいざん）されることはありません。そういう意味では、通常の企業よりも取引や履歴の透明性が高く、信頼性も担保されているといえるのです。

昨今よくいわれる企業コンプライアンスの大半が「透明性」に関するものだと思いますが、ブロックチェーンには、その点をクリアするための機能が揃っているのです。

また、いったん立ち上げてしまえば、そのなかでのプロジェクト管理が非常に効率的になる。これもＤＡＯの魅力的なところです。

僕らの「Henkaku」というＤＡＯでは、いろんな人のタスクをTo Doリストで管理しており、コンプリートされると、その人への報酬が$HENKAKUで支払われるようになっています。このシステムを立ち上げるのにかかった時間は、ほんのわずかです。

プロジェクトは「パズルのピース」を組み合わせるものへ

ｗｅｂ3では、まるでパズルのピースを組み合わせて「一枚の絵」をつくるように、プロジェクト運営が行われています。

さまざまな機能を包摂する企業組織とは違って、ＤＡＯは1つの目的、1つの機能に特化したものです。プロジェクト運営を目的とするＤＡＯもあれば、プロジェクト運営に必要なインフラやアプリケーションを開発するＤＡＯもあります。

そこでＤＡＯは、必要に応じてさまざまなアプリケーションを組み合わせ、プロジェクトを運営していきます。

まさにパズルのピースを組み合わせるように、メンバーへの報酬支払いにはこれ、投票にはこれ、ディスカッションにはこれを使おう、という具合にさまざまなツールをコンポーズ＝組み合わせて、ＤＡＯを運営する。これをｗｅｂ3の「コンポーザビリティ」といいます。

会社経営には、会計士や弁護士の助けが必要です。自分で書類を準備するなど、膨大な雑務がつきものでしょう。しかしweb3には、すでにユーザーフレンドリーなアプリケーションがたくさんあります。「パズルのピース」が多彩にある。いいかえれば自分でやらなくていい部分が多いということです。

いわば「D to D（DAO to DAO）ビジネス」があることで、プロジェクトDAOは、すべての機能を包摂することなく、必要に応じてほかのDAOと結びつきながら、みずからの目的を純粋に追求していくことができるわけです。

そういうものを活用しながらDAOを立ち上げる人がどんどん増えていったら、旧来型の士業は必要なくなってしまうでしょう。ひょっとしたら、今後の生き残りをかけてテクノロジーを猛勉強し、スマートコントラクトを専門とするような「クリプトエコノミー型の士業」に転身する人たちも出てくるかもしれません。

この手軽さ、簡単さ。「経営」「組織運営」というものについて回る数々の面倒や困難が軽減されており、「面倒で難しいことを担う経営陣」「その経営者の下で仕事をする従業員」というヒエラルキーが存在しません。そして手軽で簡単であるというのは、成長速度が上がりやすいということでもあります。

より手軽に、より強く結びつき、成し遂げる

一般企業でも、外注業者に業務を委託するというのはよくあることです。かつては受発注会社間の契約などが面倒で窮屈でしたが、クラウドソーシングのプラットフォームができたことで少し簡単になりました。

さらにweb3では、いままでプラットフォームが担っていた機能が分散化し、その大部分はDAOが開発するツールに変わるでしょう。銀行口座開設などでつど必要になる本人確認なども、いずれDAOのツールで済ませることが可能になるのではないでしょうか。

こうして起こるDAO同士のつながりは、会社対会社、あるいは会社対個人の関係性とは明らかに違います。

つながり自体は、よりカジュアルに生まれます。しかし結びつきは、より強くなるでし

ょう。会社だと取引が終了したらそれでおしまいですが、ＤＡＯではトークンを交換することがあります。これが何を意味するかというと、お互いの価値が高くなれば、交換したトークンの価値も高くなるわけで、「お互いに協力して成し遂げよう」という動機づけがより強く働くのです。

コンポーザビリティといえば、先行して大きくなったＤＡＯが投資するかたちで別のＤＡＯの成長を促したり、プロジェクトＤＡＯ同士がトークンを交換して結びついたりする場合もあります。別々のプロジェクトを運営していたＤＡＯが、より大きな１つの目的のもとに融合し、共同プロジェクトに取り組むというケースも、すでによく見られます。

まだ法整備が進んでいない部分もありますが、こうしたＤＡＯ同士での仕事の受け持ち合いや協働、助け合いが、すでにｗｅｂ３の至るところで自然と起こっているのです。

ＤＡＯで、「株主、経営者、従業員」の構図が崩れる

ＤＡＯには、そもそも「全体の方針を決める人たちと、それに従う人たちがいる」とい

う分業体制がありません。DAOをつくった人たちも、その主旨に賛同して集った人たちも権利的に同等であるというのは、すでにご理解いただけたかと思います。

株式会社では、どうしても利益は株主や経営者に集中します。社員、契約社員、アルバイトの人たちは労働の対価を受け取るのみです。

こうした「株主、経営者、社員、契約社員、アルバイト」という構図が、そもそも存在しないのがDAOというわけです。

プロジェクトに貢献する参加者にはトークンが配布される。しかもクリプトエコノミーではトークンの流動性（換金性）が発生するタイミングが早く、1年と待たずにトークンを売却してキャピタルゲインを得られることも珍しくありません。これは、従業員も契約社員もアルバイトもユーザーも区別なくプロジェクトに貢献することができ、成長することでキャピタルゲインが得られる「自社株」を受け取れるようなものです。

もちろん、トークンをずっと保有し、そのプロジェクトのさまざまな議決に参加したり、自分から提議したりとコミュニティにコミットし続ける場合もあるでしょう。

企業だと、株主の議決権が行使されるのは年に一度の株主総会だけですが、DAOでは、随時、メンバーから「こんなことをしたい。そのためには○○が必要で、かかる期間は△△くらいだと思う。成功したら○○トークンがほしい。どうだろうか」などと提議され、メンバーの間で投票が行われます。

また、トークンで利益分配を受け、それで生活することができるようになるかもしれません（ただし、国内の暗号資産取引所に非上場のトークンは直接現金化することはできません）。メンバーへの報奨として、DAOがトークンを**エアドロップ**（無償配布）することもあります。たとえばBored Apeは、2022年3月にApe Coin（APE）を発行・上場した際、1万APEをBored ApeのNFT所有者にエアドロップしました。

資本家と労働者の間に生まれる経済格差は、産業革命以降、ずっと議論されてきた資本主義の課題です。

もちろんDAOでも、有望そうなDAOに早々に目をつけたベンチャー・キャピタルが、そのDAOのトークンを大量に保有する、といったことが起こる可能性はあります。ただし「投資家優位という構造はない」「労働者は存在しない」（主体的に働く個人がいるだけ)」というのが、DAOのそもそものアイデンティティの1つであることから、ある種の自浄作用が働くはずです。また、誰がどれだけのトークンを所有しているかはブロックチェーンで丸見えなので、検証も容易です。

実際、僕らのコミュニティ「Henkaku」でも、「トークンホルダーの比率はどれくらいがフェアか」「ユーザーの保有率が25%以下だとアンフェアではないか」という議論はよく交わされます。いわば草の根的に、新たなガバナンスの倫理観が育まれていると感じます。

長らく資本主義社会の課題であった構造的不平等は、テクノロジーの進化によって、いま、一気に解決に向かっているところなのかもしれません。クリプトエコノミーならば、たとえば不平等を是正する「富の再分配」を行うようなスマートコントラクトを取引に埋め込むことも可能です。DAOが従来のガバナンスのかたちを根底から変えている様子を見ていると、あながち外れていない未来予測に思えます。

クリプトエコノミーは何かと懐疑的な目を向けられがちですが、事業(プロジェクト)の透明性しかり、ガバナンスのフェアネスしかり、むしろフィアットエコノミーの上場企業のコンプライアンス以上のものが構築される兆しが見えているのです。

課題がないわけではありません。たとえば、あるDAOで「『ヒトラー』という言葉をアイテムのネーミングに使ってはいけない」という議決を取った際、決議に必要な数の賛同が得られなかったという記事を読んだことがあります。

つまり、常識的な倫理観に照らせば明らかなことですら、容易に議決できなくなる。これは、すべての人に投票権が与えられるがゆえに、あらゆる議論が相対化され、意思決定が鈍化しやすいというDAO特有の難点といえるでしょう。

DAOによってガバナンスが変わることは確実ですが、DAOでよりよい世界を実現するためには、こうした課題とひとつひとつ向き合い、解決していく必要があります。僕自身、いろいろと実験をしながら様子を見ているところです。

働き方は、勤め先に縛られなくなる

近年、エンジニアなどの専門職では、フリーランスとして複数の会社の仕事を受注するという働き方を選択する人が増えています。ＤＡＯが広がると、それがもっと幅広い職種で起こるようになるでしょう。

まだロールモデルがいない新しい働き方が、ＤＡＯというコミュニティから生まれてくる。「こんな働き方があったんだな」という、働き方のイノベーションが、ｗｅｂ３のなかで多々起こっていくと思います。

すでに説明してきたように、ＤＡＯはプロジェクト単位で立ち上げられるものです。そしてプロジェクトを実際に動かしていくにはさまざまな役割が必要であり、それは、何もエンジニア等の専門職とは限りません。

「自分には手に職がないから無理」「腕一本でやっていける人しか働けないのがＤＡＯだ」などと思ったかもしれませんが、本当は誰もがＤＡＯに参加し、貢献できる「何か」を持っているはずなのです。

DAOに参加するというのは、「この魅力的なプロジェクトで、何か自分に手伝えることはないだろうか」と役割を探しに行くような感じです。

自分から「これ、やります」と手を挙げられるようになっているので、嫌いなことや苦手なことを割り振られることはありません。タスク単位で働いてトークンを受け取ることもできますし、場合によっては、もっと深くコミットするミドル～コアコントリビューターとして、定額のトークンを給料のように受け取る場合もあります。

DAOでは、このように多様な働き方が可能であり、自分が望むかたちで、自分が望む時間だけ参加できる。これは、働く主体としての自分を、組織から自分の元へと取り戻すことを意味するといっていいでしょう。自分の仕事や働き方は、組織に決められるのではなく、自分で決めるということです。

組織で出世し、現場から管理職に移りたい人は別ですが、何かを生み出すことに関わっているという手応えを感じ続けたい人にとっては、DAOに参加するというweb3的な働き方は理想的ではないでしょうか。

仕事は、おもしろいことに「本気で参加する」ものになる

DAOとの関わり方は、そのプロジェクトへの思い入れ具合の変化に応じて、「閲覧」→「発言」→「本気で参加する」というふうに変化していくことが多いでしょう。

いきなり深く入り込むというよりも、最初はメンバーたちのやりとりを見て様子を探りつつ、徐々に誰かの提議に意見を述べたり、賛成／反対の票を投じたりするようになる。そして今度は自分が提議したりして、プロジェクトを引っ張るひとりになっていく――という感じです。

DAOのメンバーは、皆同等の立場であるといいましたが、コミット具合によってプロジェクトに対する責任も貢献度も変わっていくのは当然です。しかし見てのとおり、DAOに深くコミットするほどに責任と貢献度が増していくというのは、いわゆる既存社会の企業の「出世」とはまったく違います。

DAOは個人を縛りつけるものではないため、おもしろそうなDAOへのコミットメントはより強く、ちょっと関心がある程度のDAOへのコミットメントはより弱く、という

差が出るだけです。もし興味を失ったら、そのＤＡＯから退出すればいいだけのこと。「退職希望日の〇カ月前に申し出よ」といったルールもありません。

このように、トークンを所有するだけでプロジェクトマネジメントに関わることができて、それでいて縛られるわけではない。深くコミットするのも去るのも、すべて自分の意志と選択ひとつです。

会社を退職・転職するだけでもひと苦労であるのと比べると、信じられないくらい身軽で自由な働き方といえます。

報酬、配当、権利を「トークン」が司る

ＤＡＯに参加することで得られる対価には、仕事の報酬、利益分配などがあります。報酬は、そのＤＡＯが発行するトークンやステーブルコイン・イーサなどの暗号資産で支払われます。なお、ＤＡＯの利益は、一般的にはガバナンストークンの保有量に応じて分配

されます。

ガバナンストークンは、スタートアップ企業のストックオプション（新株予約権）と比較するとわかりやすいでしょう。

ストックオプションとは、企業の従業員が、自社の新株を特定の値段で購入できる権利です。自分たちががんばって成果を出し、自社の企業価値が上がったら、特定価格で得た自社株を売却することで大きなキャピタルゲインを得ることができます。だから自然と「よし、がんばってこの会社を成功させよう」という動機づけが働きます。

かつては、いくら会社が成功しても、従業員が何億もの利益を手にすることなど考えられませんでした。

そこにストックオプションという制度ができたことで、優秀な人材が、「生涯安泰な大企業」よりも、「みずからが成長に貢献することで、大きな利益を得られるスタートアップ企業」に多く集まるようになりました。そこから、シリコンバレーで革新的なスタートアップ企業が続々と生まれ、成功を収めることにもつながりました。

ＤＡＯのガバナンストークンが報酬として配布されることは、いってみれば、スタートアップ企業のストックオプションを受け取るようなものです。

自分が自社の成長に貢献すればするほど自社の株価が上がるように、自分の貢献によりＤＡＯが成長すると、保有しているガバナンストークンの価値も上がります。上がったところで売却すれば、大きなキャピタルゲインを得られます。保有し続ければ、利益が分配されることでインカムゲインを得られます。

しかも、ＤＡＯでは、これがスピーディに起こりやすいというのも特徴です。ストックオプションでは自社が証券取引所に上場（ＩＰＯ）しないことには権利を行使できず、それには数年～十数年単位の時間がかかります。一方、ＤＡＯの場合は、トークンを売り買いできるタイミングが、プロジェクトがかたちになる前の段階に訪れてしまうことが多いのです。

DAOは万能なのか

ただし、DAOには、まだ法的立場が明確でないという課題があります。

「分散型自律組織」という言葉が表しているとおり、DAOには確たる主体がいません。

もちろん最初にプロジェクトを立ち上げたメンバーはいますが、「創業者」ではなく、大勢のトークンホルダーのひとりに過ぎません。

たとえばビットコインは、ブロックチェーンを用いた仮想通貨というアイデアに多くの賛同者が集まったことで、世界最大の仮想通貨へと成長しました。ビットコインというプロジェクトは、世界中に散らばるエンジニアたちの手によって発展してきましたが、その責任者は誰でしょうか。

ビットコインの考案者は「サトシ・ナカモト」なる人物ですが、この名前が本名であるかですら定かではなく、どこの誰であるのかを知る人はいません。しかし、そのアイデアには賛同する人がたくさん集まりました。

どこの会社が開発しているかわかれば、国家がそれを潰すこともできるかもしれません。しかし、ビットコインのように誰が開発しているのかがわからない、人でも組織でもないコンピュータープログラムを規制することはできません。つまり、ビットコインのエコシステムは現行の法律の範疇(はんちゅう)に収めるのが非常に難しいのです。

同じように、現にDAOというトークンを介したコミュニティがあり、すでに大小さまざまなプロジェクトやアプリケーションが走っているのは紛れもない事実です。ブロックチェーン上で稼働するスマートコントラクトの仕組みが、フィアットエコノミーでいうところの「業務委託契約書」のような役割を果たしており、報酬の支払いなども、これに基づいて行われています。

一般的には「デジタルなものは信頼できない」という感覚がまだまだ根強いようにも見えますが、web3側からすると、むしろ改竄可能なのはアナログな書類のほうであり、透明性や信頼性においてはスマートコントラクトが上回るという感覚です。

いってみれば、すでに既存の国家による法の支配を超えたところで機能してしまっているのがＤＡＯであり、それがｗｅｂ３の常識になっている。今後はさまざまなかたちでフィアットエコノミー側も影響を受けていくと思われるので、無視できなくなるはずです。

現時点でもっとも先進的な例としては、アメリカ・ワイオミング州でＤＡＯを法人として認める「ＤＡＯ法」が制定されました。

一方、日本ではようやく議論がはじまろうか、というくらいの段階です。

このあたりの法整備が進めば、ＤＡＯによる仕事や働き方の劇的な変化は、より大きな社会的ムーブメントになっていくでしょう。手始めに「ＤＡＯ特区」みたいなものを設け、ワイオミング州のようなＤＡＯ法を実験的に施行するのも一案だと思います。

「お金に換算できないトークン」の価値

暗号資産を投機対象と見てトークノミクスを構築する、暗号資産界隈の風潮に対するアンチテーゼとして、本質的には電子データでしかないトークンにどのような役割を見出せるのか、という思いから、コミュニティ「Henkaku」で、$HENKAKU トークンを出しました。$HENKAKUトークンを用いて、僕らのコミュニティでどのようなエコシステムを構築できるか。たとえば、$HENKAKUを持っているコミュニティメンバーが、それにより特別なベネフィットを感じられるようにしたらどうかと、いろいろと実験のアイデアを練っているところです。トークノミクスが何もないことを1つの特徴としたうえで、「お金に換算できないからこそ価値のあるトークン」を構築するというのもアイデアの1つではないか、と考えています。

たとえば、500$HENKAKUを支払うと参加できるイベント、「HENKAKU BAR」を開きました。このイベントは、$HENKAKUを持っていないと入れなくなっており、お金を持っていても入れません。$HENKAKUはコミュニティへの貢献に対して付与されるものですから「コミュニティに貢献してくれた人」だけが参加できる特別なイベントというわけです。

今後も、普段オンラインでやりとりしているメンバーを結びつけるリアルイベントは定期的に開催していきたいと思っていますし、ほかに$HENKAKUオンリーのNFTマーケットを開くアイデアなどもあります。

このように、何か「特別なクラブのメンバーシップ」のように機能させることで、金銭的な価値の媒体ではない「ソーシャルトークン」として、$HENKAKUを成長させていければと思っています。

トークンを介して人やコミュニティが動き回り、時には融合しながら何かを生み出すDAOは、いまはまだ黎明期にあります。それはつまり、いくつかの問題をはらみつつも、僕たちのアイデア次第でいくらでも可能性が広がるということなのです。

仕事の「内容・場所・時間」からの解放は、格差是正につながるか

仕事の内容も場所も時間も、誰かに指示されるのではなく、自分主導で決められるというのが、web3的な働き方です。そういう働き方を僕たちが当たり前にしていけば、仕事にまつわる格差を小さくしていくこともできるでしょう。

たとえば男女の格差。日本のジェンダーギャップ指数は156カ国中120位前後と、惨憺たる状況が続いています。男性優位の価値観はもちろん正していかねばなりませんが、仕組み面でボトルネックとなっているのは、やはり妊娠・出産という大きなライフイベントに対する無理解や不寛容でしょう。

男性の育休など、以前に比べれば改善している部分もあるのかもしれませんが、まだまだ、子どもを持つ女性が働きづらいという現状があります。

こうした男女格差以外にも、介護などさまざまな事情によりフルタイムで働けない人、あるいは自身の心身が不自由で、会社に出勤することが難しい人もいるでしょう。既存の社会では、どうしても、そういう人たちが置き去りにされがちでした。

その点、DAOにはそもそも「経営者、正社員、契約社員」といった区分がないので、「女性の管理職はわずか7・8%にとどまる」「同じ仕事内容でも、非正規雇用の給料は正社員の70%足らず」といった文脈の格差是正にはつながりません。

しかし、「自分にできること（得意なこと、好きなこと）で貢献できればOK」「いつ、どこで、どれだけ働いてもOK」というDAOならば、さまざまな事情で既存社会の固定された働き方が難しい人たちにも、多様な働き方の可能性が開かれます。

前述したように、いままでとはまったく違った力学で運営されるDAOというコミュニティから、新しい働き方の選択肢が生まれます。DAOのあり方自体、まだ確立されきっていないので、そこで起こる働き方のイノベーションも、今後、実際にDAOで働く人たちによってさまざまに展開されていくでしょう。そしてクリプトエコノミーでトークンを稼いだり売買したり、運用したりといった新しいかたちの経済力をつけることなども十分考えられます。

いままで、フィアットエコノミーではやりたいことを見つけられずにいた人や、やりたいことがあっても具現化する手段のなかった人が、クリプトエコノミーで開花することもあるでしょう。

web3は、リスクをとって先に飛び込み、得たトークンの価値が結果的に大きくなる

「先行者利益」が発生することがあるため、格差拡大につながるという見方もありますが、僕は必ずしもそうとは思いません。

クリプトエコノミーが拡大すれば、これまでとは違ったフラットな関係性のなかで、新しい社会がつくられていくことに、僕は大いなる可能性を感じます。

第2章

文化

人々の「情熱」が資産になる

ブロックチェーンで実現した真贋・所有証明

ブロックチェーンは、取引ごとに情報のブロックを作成し、そのブロックたちをチェーンでつないでトランザクション履歴を記録するという仕組みになっています。

すべての履歴が連なっており、しかも誰でもチェックできるという透明性があるため、そのうち1つの取引情報だけを改竄するのは事実上不可能。というわけで、このブロックチェーンが、ビットコインやイーサリアムなど「通貨として使われる」という、もっとも高いセキュリティが求められる仕組みを技術的に担保しているのです。

このように、もとは取引履歴を記録する仕組みとして生まれたブロックチェーンの技術を使って、デジタルデータが「本物かどうか」「誰のものか」などを証明するようにしたものがNFTです。

デジタルデータというと、いくらでもコピーや改竄、消去が可能に思えるかもしれませんが、ブロックチェーンに記録された取引履歴は、そうした操作ができません。「この世で1つだけしかない本物だと証明できるデジタルデータ」をつくれるのです。

こう聞けば、まず真っ先にデジタルアートのクリエイターの間でＮＦＴが広まったのもうなずけるのではないでしょうか。

クリエイターが作品をつくり、OpenSeaなどのＮＦＴマーケットプレイスに出品する。それを見て気に入った人が買う。取引額の２・５％は差し引かれてOpenSeaに手数料として入る仕組みになっていますが、画廊などに出展してアートを販売するよりも、はるかにハードルは低くなりました。ＮＦＴによって「アーティストが自分の力で稼げる仕組み」が生まれたのです。

また、ＮＦＴは従来の大量生産・大量消費型の産業構造を覆す可能性もあります。

そもそも、世界に１つしかないモノをひとりの人間に届けるのは、非常に非効率的です。ならば大企業が大量に同じものをつくって、いっぺんに大勢に届けたほうが合理的――というわけで大量生産・大量消費型の産業構造がこれまで長く続いてきました。

デジタル消費財には物流の手間はかかりませんが、「世界に１つのデジタル消費財」をつくるのは技術的に不可能でした。リアルなモノとは違うとはいえ、「大勢が同じものを消費する」という意味では大量生産・大量消費と変わりません。

しかしNFTは大量生産・大量消費のモノではありません。ブロックチェーン技術によって「世界に1つしかない、複製不可能なデジタルデータ」が可能になったからです。

時代は確実に移り変わっており、いまは「モノとのリレーション＝強固なつながり」が、より重視されるようになっていると感じます。「皆が同じものを同じように所有する」というのは、すでに古い価値観になりつつある。NFTは、その風潮にもぴったりはまった感があるのです。あるいはNFTの誕生が、その風潮を加速させていると見てもいいかもしれません。

たとえば、大人気のBored ApeのPFPは、どれも世界に1つしかありません。気に入ったものを買って自分のPFPにするわけですが、そのうち、どんどん愛着が湧いてきます。

すると、自分と作品の関係性が単なる「所有・被所有」ではなく、「作品＝自分を表象するもの」、もっといえば「自分のアイデンティティの一部」のようになっていく。つまり作品とのつながりが強固になるのです。

「NFTバブル」の次に来るもの

近頃は、デジタルアーティストの間で盛んに取引されていることで、そこにお金のにおいを感じ取った投機目的の人たちが多くマーケットに流れ込んでおり、「NFTバブル」という人さえいる状況にもなりました。

歴史が証明しているとおり、バブルはいつか崩壊するものです。ただし、十分なインフラや人々のリテラシーは、バブルが起こって初めて整うものでもあります。そしてこれらは、バブルが崩壊してからも残ります。

NFTも例外ではありません。NFTブームのなかでNFTのマーケットが成熟し、人々のリテラシーが高まることで、ブームが終わった後も生き残るようなNFTのあり方がどんどん生まれていくはずです。

いたずらにブームに乗っかる必要はないと思いますが、かといって無視していると、将来、NFTが当たり前になった頃、確実に何かと不便になります。いま、どんなことが起こっているのかを常に注視しつつ、少しずつ参加していくといいのではないかと思います。

「かたちのない価値」が表現できるようになる

たとえば、ここに2つのお守りがある、と想像してみてください。

1つは神主さんがお祓いしたお守り。もう1つはお祓いされていないお守り。この2つは、物理的には同じ素材、同じサイズ、同じデザイン、見た目はまったく同じです。しかし信仰心のある人なら、前者しかほしくないでしょう。

これが代替不可能、ノン・ファンジブルの意味するところです。そして、そんなノン・ファンジブルな価値を持つものだという情報を乗せて発行されるのがNFTであり、その情報の信憑性を担保するものがブロックチェーンです。

つまりお祓いをしたことを記録するプロセスさえ間違えなければ、「このお祓い済みのお守りは本物か？」「本当に伊藤穰一のものなのか？」が鑑定書などではなく、ブロックチェーンの記録によって証明されるということです。

企業の財務諸表で粉飾決算が可能なように、鑑定書の類いも改竄が可能です。しかし先に述べたように、ブロックチェーンはシステムの性質上、取引履歴を記録した後に上書きや消去を行うことが事実上不可能ですから、実はこれほど確かな「真贋」「所有」証明はないわけです。

「お祓いしてあるお守りがいい」、というのは、要するに「本物」を求めるということ、もっといえば「本物に触れたときの気持ち」を大事にするということです。

物理的にどうかではなく、「本物であること」というかたちにならない価値、ノン・ファンジブルな価値をトークン化し、取り扱い可能にしたものがNFTです。本物を選ぼうと偽物を選ぼうと、物理的にはほとんど何も変わりません。変わるのは自分の気持ちです。NFTは、そんな僕たち人間の純粋な部分と相性のいいトークンといえるのです。

アーティストが事業者になる

NFTによって、アーティストは自分で自分のアート事業をマネジメントできるようになりました。

NFTができる前にも、もちろんアーティストはいて、作品をつくっていました。しかしそれを一般公開して販売するには、まず、せっせと画廊などに売り込まなくてはなりません。無事に出品できて買い手がついたらついたで、成約の報酬として仲介者へ多額の手数料を支払わなくてはなりません。

要するに、従来のアートビジネスは、ずっと「アーティストが儲からない仕組み」で運営されてきたといえるのです。

そこに大きな風穴を開けたのがNFTでした。

現在、NFTがもっとも盛り上がっているのはデジタルアートやゲームのジャンルです。

新しいものが出てきたとき、人は、まず自分の体験の延長でとらえます。NFTが、まずデジタルアートやゲームアイテムの文脈で受け入れられたのも、すでに存在するデジタルアートやゲームアイテムが、ブロックチェーンという新しい技術を取り入れて「web

3的」になったもの、ととらえるのがいちばんわかりやすかったからでしょう。

最初の入り口としてはいいのですが、NFTには、それ以上の可能性があります。いまのNFTマーケットプレイスを見ていると、デジタルアートのJPEGデータを貼りつけただけで、いわばNFTが単なる「キャンバス」代わりになっているものが多い。ずっとこの使い方だけでは、かなりもったいないと思います。

使い方はいろいろ考えられると思います。NFTはブロックチェーンで「誰々の何という作品」と証明されているので、実は内容が変わっても問題ありません。

たとえば、リンクをクリックするごとに、作品のコンセプトに沿って内容が変化していくという仕掛けがあるデジタルアートNFT、というのもおもしろいと思います。

今後、もっとNFTが当たり前のものになってくると、過去のアートというとらえ方から脱して、web3、NFTを前提とした作品が出てくるでしょう。ただのビジュアルアートではなく、いまいったような工夫を凝らした、よりコンセプチュアルなアートも増えると思います。

現に、イギリスの有名グラフィックアーティスト、バンクシーの作品のデジタルコピーをとったうえで原本を燃やしてしまい、デジタルコピーのほうをNFT化するという、アート界を騒然とさせた作品が OpenSea に出品されています。

これは、「バンクシーに対してバンクシー的なことをする」というコンセプチュアルアートといっていいでしょう。是とするか否とするかは意見が分かれるところだと思いますが、少なくとも、こんなことはNFTでなければできないというのは事実です。まだまだNFTはアイデア次第で可能性が無限に広がっている領域だと、改めて感じた一件でした。

たとえば、何かを体験したときの感覚や感情そのものを素材としたデジタルアートみたいな、従来の発想では生まれない不思議なNFTが出てくる可能性もあると思います。

NFTが環境を破壊する?

世の中にはNFTに否定的な人たちもいます。その主張は大きく分けて2つです。

1つは「環境に悪い」というもの。2022年2月、WWF(世界自然保護基金)が、フアンドレイズ（ファンド設立のため、出資依頼を投資家に行うこと）の目的で絶滅が危惧されている動物の画像NFTを販売しようとしたところ、環境保護論者たちから猛烈な批判を浴びて頓挫するということがありました。

NFTは現在、もっとも伸びているマーケットの1つなので、そこでファンドレイズするというのは合理的なアイデアといえます。しかし「環境負荷の高いシステムを使って、環境保護のための活動をするとは何事か」と、認めてもらえませんでした。

確かにブロックチェーンには**マイニング**（取引データを承認するプロセス）の際にエネルギーを大量消費するため、地球温暖化に悪影響を及ぼすという負の側面があります。

ただしNFTのバックボーンであるイーサリアムでは、ブロックチェーンで作動するアルゴリズムを、環境負荷の高い「プルーフ・オブ・ワーク」から環境負荷の低い「プルーフ・オブ・ステーク」へと移行する動きが進んでいるなど、改善の目処（めど）は立っています。ビットコインなど、イーサリアム以外のブロックチェーンでも、環境負荷の低いことを売りにするものが多く登場しています。

また、web3には環境意識の高い人が集まっているのも事実であり、カーボンオフセット（削減が難しいCO_2の排出を、別の取り組みで埋め合わせすること）を目的とするプロジェクトDAOなども多数存在します。ビットコインのコミュニティでも、再生エネルギー化を積極的に進めています。

「環境負荷の問題が完全に解消してからでないと、web3には関わりたくない」というのも1つの価値観でしょう。

でも僕は、「環境に悪いからイノベーションに参加しない」というのは、もったいないことだと思います。もとよりweb3は、コミュニティをベースにして回っている世界です。つまり、すでに議論の土壌、文化はある。技術的な課題は、皆で話し合って解決していけばいいのではないでしょうか。

さて、もう1つ、NFTに否定的な主張は、「アーティストがNFTで稼ぐなんてけしからん。裏切り行為だ。もうファンじゃない」というものです。まったく理不尽としかいいようがありません。

NFTマーケットプレイスに出品した作品に買い手がつけば、アーティストはそこでまず収入が得られます。また、ブロックチェーンには「この作品は、もともとこの人がつくったもの」というオーナーシップの履歴が残っているため、NFTが転売されるごとに、アーティスト本人にも利益が還元されるように設定することもできます。

このように、いままでは「アーティストが稼げないアートビジネスの仕組み」のなかにいたアーティストが、自分で自分のアートビジネスを主体的にマネジメントし、アートでしっかり生計を立てられるようになる、その可能性を広げたというのがNFTの大きな利点なのです。

だから、アーティストの皆さんは、理不尽な主張など気にせず、NFTでどんどん新しいアートを模索していってほしいと思います。

NFTが流行りだしてから、有名人のNFTをよく見るようになりましたが、現時点では、それほどうまくいっているようには見えません。

NFTの価値は、おそらく「あの○○さんがNFTを出した」ということよりも、ひねりが利いていて、「これかっこいい」「かわいい」「おもしろい」というファンコミュニティの応援により、価値が高まるようなダイナミクスに本当のおもしろさがあるものなのでしょう。

文化は「消費するもの」から「コミュニティに参加するもの」になる

NFTによって、文化の本質は「消費するもの」から「コミュニティに参加するもの」へと変化しつつあります。

Bored Ape のように、最初はNFTアートを販売していたところから、トークン（Ape Coin = APE）を発行・上場するなど、1つの経済圏を形成するほどの大規模コミュニティへと成長するケースも出てきています。

こうして、アートは単に「所有するもの」から「コミュニティに参加するもの」、自分は単なる「お客さん」から「コミュニティの一員としてコミュニティを一緒に盛り上げていくメンバー」へと、性質が変わってきました。

web3では、アーティストも、そのアーティストを好きな人たちも、誰もがコミュニティを運営する主体になれるということです。

先日、僕は藤幡正樹さんというメディア・アーティストのNFTアートを買いました。その売り方というのがおもしろくて、1番から30番までの作品に藤幡さんがつけた価格を、それぞれの買い手の人数で割り、ひとりあたりの取引額が決まるというものでした。仮に1番の作品の価格が10万円で、1番をほしいという人が5人いたら、この作品はエディション1~5までつくられ、取引額はひとりあたり2万円になる、という具合です。

ちなみに、僕が選んだ作品の買い手は僕を含めて5人でしたが、800人以上の買い手がついた作品もあります。さて、これをどう考えるか。

僕が買った作品を持っているのは僕のほかに4人ですから、800人も所有者がいる作品に比べると希少性が高いといえます。しかし、見方を変えれば、僕が選んだ作品には、あまり人が集まらなかったということでもあります。

つまり、その作品のコミュニティは、たくさんの買い手がついた作品のコミュニティよりもかなり小さいのです。もちろん「好きで買った」というのがいちばん大事なのですが、ＮＦＴ界隈では、ある程度、コミュニティが大きいことが1つのファッションになるため、そういう意味では少し寂しい結果になったともいえます。

というわけで、この件、ＮＦＴアートのコレクターとしては、やや複雑な心境になったのですが、藤幡さんにとっては、その「複雑な心境」こそが作品の本質だというのです。

作品の価値をはかる視点として、コミュニティの「サイズ」「元気度」があるというのは、ＮＦＴならではの特徴です。

僕も普段、ＮＦＴアートを買うときには、そのアーティストのコミュニティが元気かどうかというのを1つの目安にしています。Bored Apeを買ったのも、コミュニティがすごく元気で、積極的に活動していて、楽しそうだったからでした。それがBored Apeの現在の成功につながっていることは間違いありません。

もう1つ、コミュニティ形成の点で成功した好例を挙げるとしたら、2021年に大人気になったKawaii SKULL（カワイイスカル）です。

Kawaii SKULLは、発行するＮＦＴアート数を1万点と最初に決めました。少な過ぎると有名になれない、しかし多過ぎると希少性が失われてチープになるため、1万点というのは、コミュニティサイズの設定としてちょうどよかったといえます。

いま、その1万点のうち1つを買った人たちの間で、ゆるやかなつながりが生まれています。Kawaii SKULLをPFPにしているTwitterアカウント同士では、相互フォローし合ったり、「GM（good morningを指すweb3のスラング）」と呼びかけ合ったり、双方向のコミュニケーションが生まれています。

同じアーティストの作品を持つ人たちの間でコミュニティができるというのもNFTアートの醍醐味（だいごみ）といえるのです。

「D to F」で変容するファンコミュニティ

2021年ごろから急に流行りだしたNFTは、購入して価値が上がったら転売するという投機対象として見られているところが大きいようです。しかし今後、大事になってくるのは、むしろ所有者が転売せずに持ち続ける、長期的な価値を持つNFTです。

たとえば僕はジャニーズ事務所の顧問を務めているのですが、2022年、ジャニーズ事務所は、コンサートチケットの一部をNFT化する挑戦をはじめます。

ジャニーズは、もともとファンコミュニティとの結束が強い事務所です。ファンには支払ったお金以上の価値を常に感じてもらうことが理念です。ファンコミュニティはどことなくDAOっぽい雰囲気もあります。

チケットのNFT化は、利便性などにおいて、よりファンに喜んでもらえるのではないかということでトライすることになりました。

ジャニーズのコンサートは非常に人気があるため、チケット販売は抽選です。しかし不当に転売されたり、転売防止のために家族や友人の間ですら譲渡できなかったりと、人気が高いがゆえに、チケットの管理は、実は常に頭の痛い問題でした。

そこでチケットのNFT化の初期段階としてジャニーズ事務所は、ジャニーズJr.の出演する5月の公演において「ジャニーズジュニア情報局」に入会している家族や友人の範囲ならばチケットの譲渡をOKとしました。

NFTチケットならば、譲渡OKとしても転売目的の人に不当利用される心配はありません。NFTチケットはブロックチェーンに紐づいているため、「誰が入手し、誰に譲渡されたのか」が記録されます。ただし本物のファンなら、たとえ譲渡することがあっても、万が一のことが起こったときだけでしょう。

となると「よくチケットを買うが、毎回、譲渡している」という明らかに怪しい履歴を残している人は転売目的、つまり「偽物のファン」と見なすようにあらかじめプログラムをして対策を施すことができるのです。そう考えると、NFTチケットとは、「ファンの真贋」を証明するもの、といってもいいかもしれません。

また、チケットは、ファンにとってはかけがえのない「思い出の品」です。

大好きなアーティストのコンサートに行ったときのチケットの半券を、大事にとってあるという人は多いのです。実際、有名アーティストのコンサートチケットの半券が、オークションにおいて高値で取引されるケースも見られる。

ジャニーズのアイドルは大人気ですから、コンサートが終わった後にも、おそらくNFTチケットの価値は上がります。しかし、そんな大事な思い出の品を転売したい本物のファンは稀でしょうから、実際には転売せずに、ずっと持ち続けるケースが大半になるはずです。

つまりNFTチケットは、ブロックチェーンによって信用と安心が担保された入場券であると同時に、「思い出」という代替不可能な長期的価値を持つものでもある、というわけです。

チケットのNFT化は、いわば仲介的なプラットフォームを経ずにファンと直に結びつく「**D to F**」――「ダイレクト・トゥ・ファン」のビジネスです。これにより、ジャニーズ事務所とファンコミュニティの関係性は、よりいっそう強くなっていくでしょう。

ジャニーズ事務所のみならず、日本のコンテンツビジネスは、もともとファンコミュニティとの結びつきが強く、ファンの心理もよくわかるという特徴があります。そこを、うまくweb3のトークノミクスを取り入れることで押し上げていけば、日本のコンテンツビジネスの価値もよりいっそう知れわたると思います。

「好きだから買う」ことにこそ意味がある

ｗｅｂ３界隈では桁違いのお金が動くことも多いせいか、「どれだけ儲かるか」という視線を強く感じます。

しかしｗｅｂ３の本当のポイントは、そこではありません。むしろ「どれだけ儲かるか」といったフィアットエコノミーの価値観とは別のところで、個々の価値観や趣味嗜好に従って自由に好きなこと、やりたいことをできるというのがｗｅｂ３です。

ＮＦＴにしても、ある作品が千万単位、億単位の高値で取引されたことばかりがセンセーショナルに取り上げられがちです。本書をきっかけに「買ってみようかな」と考えている人が増えるのは結構ですが、しかし、あまり「儲かりそうだから買ってみよう」ということだけを考えないでほしいと思います。

ＮＦＴを買う理由は人それぞれで当然です。投機目的の人が集まることでＮＦＴのマーケットが盛り上がるという側面もあるでしょう。マーケットプレイスは取引手数料が収入源です。転売すれば、元の所有者はもちろん、アーティストにも利益が還元されます。

ということで、NFTのマーケットでは「いつ価値が上がるか、いつ売るか」というトレーダー的な動機づけが働きやすくなっているのですが、一方、投機目的の人ばかりではなく、純粋にNFTアートを楽しんでいる人がたくさんいることも事実です。

おすすめは、「好きだから買う」という感覚を最優先させることです。

いろいろなNFTのアーティスト、コレクターたちに意見を聞いてきたなかで、僕がいちばん共感したのは「値段が上がらなくても、持っていて自分がハッピーなものしか買ってはいけない」「値段は上がらなくて当然、上がったらラッキーと思うこと」という意見でした。

最悪なのは、値段が上がると踏んで好きでもない作品を買ったのに、一向に上がらずに転売できないことです。そんな作品がウォレットにずっと入っているのは目障りですが、かといってNFTを捨てるにはお金（「ガス代」と呼ばれるブロックチェーンの手数料のようなもの）がかかります。

しかし、自分が応援しているアーティストが高く評価されるようになったら、純粋にうれしいものです。NFTは「誰に所有されているか」が明確なので、作品の価値が上がることは、自分の先見性やセンスの証明にもなります。ただし、これは結果論であって、最初から儲けることを目的に価値が上がりそうなものを買うのとは、わけが違うのです。

僕自身、NFTアートを転売したことがほとんどありません。改めて思い返してみても、Bored Apeを買ってみたものの、どうも自分のPFPとしてしっくりこなくて買い替えたのと、リンクを開かないと見られないNFTアートが、開けてみたら好みに合わなかったので転売した、というくらい。なぜなら、売って儲けることが目的ではなく、好きで買っているからです。

あるタイのアーティストのNFTアートも、好きだから買いました。彼は、その作品を世界中のイベントで公開していて、ディスプレイには必ず「この作品は伊藤穰一に所有されています」という情報が添えられています。「今回もこんな感じで展示したよ」と、いつも写真つきでメッセージをくれます。

そのたび、うれしくなります。僕が買った作品が多くの人の目に触れて、作品の価値が上がるという喜びです。儲かるからではありません。応援しているアーティストが評価されること自体が、それこそ「代替不可能な価値」なのです。

「売れそうなNFT」だらけのウォレットはダサい

NFTアートを買うのは、アーティストのパトロンになるようなものです。お金が絡むスポンサーとも、作品を消費しておしまいの消費者とも違い、パトロンは、そのアーティストの作品のことが純粋に好きで、応援したくて買う。長期間保有し続ける。アーティストのほうも、その思いに応えて、コミュニティメンバー（買ってくれた人たち）限定の作品を公開するなど特別なベネフィットを返す。

このように、NFTアートを通じてアーティストとファンが直接、なおかつ強く結びつき、1つのコミュニティが形成される。つまり、NFTアートを持っていること自体が価値であり、うれしいことなのです。それなのに、「いつ値段が上がるだろうか。いつ転売したら儲かるだろうか」などと考えるのは、ちょっとつまらないと思いませんか。

「複製可能なデジタルアートには、そもそも〝オリジナルとコピー〟という概念がない。仮に作者が100個のコピーをつくって売ったら、100人が同じ作品を持つことになる。そう考えると、デジタルアートとは、その作品がオリジナルなのではなく、〝その作品に触れるという個々の経験〟がオリジナルなのであり、その意味でデジタルアートは多分にパフォーマティブなものだと思う」

本書の103ページでも登場した藤幡さんが、あるときおっしゃっていたことです。これには僕も同感です。そして「経験」という代替不可能な価値は、単なるお金儲けの発想では味わえないと思うのです。「儲かりそうだから買う」よりも、「好きだから買う」のほうが、はるかにweb3のおもしろみを体感できると僕は思います。

それに、自分のウォレットの中身は、アドレスさえ知っていれば誰でも見ることができます。ウォレットが他人に見られることを意識して、NFT作品を買うようにするのがいいかもしれません。

クローゼットはプライベートなものですが、ブロックチェーンの記録は誰でも閲覧可能で、しかも消去・変更ができません。これからのweb3時代、僕たちはウォレットの中身で評価されるというのも、実は重要なポイントです。

何をNFT化したらおもしろいか

NFTとは何かと問われて、現時点で明確に答えられるのは、文字どおり「ノン・ファンジブル、つまり代替不可能なトークンである」ということくらいです。

要するに、NFTは、まだ概念が定まっていないほど新しいテクノロジーなのです。

需要が多様であるほどマーケットも豊かになりますから、今後、ウォレットを持つ人が増えるにしたがって、「どんなものをNFT化したら人はほしがるか」というアイデアも多様になり、さまざまなNFTが誕生していくでしょう。

すでにあるNFTを分類して、「NFTとはこういうもの」と示すことは簡単です。

しかしNFTはまだ誕生して間もないものであり、その可能性は未知数です。いかにいままでは見過ごされていた価値とNFTを結びつけていくかは、人々の目的意識やアイデアにかかっています。

いくつか、僕の頭に浮かんでいるアイデアをシェアしましょう。

・映画制作のスタッフジャンパーのようにコミュニティメンバーにだけ付与される、転売不可なデジタルファッション。これを自分のアバター（メタバース内の自分の分身）が身につければ、そのコミュニティのメンバーであることを示すことができる

・コミュニティに貢献した人に付与される、転売不可の「ありがとうNFT」。このNFTを持っているとコミュニティのイベントに参加できたり、コミュニティのデジタルプロダクトなどが贈られてきたりする

・レストランで「よい振る舞い」をしたお客に付与される、転売不可の「上客NFT」。このNFTを持っていると「一見（いちげん）さんお断り」のレストランでも予約がとれる

といったものなら、すぐにでもつくれるはずです。「転売不可」「譲渡不可」とは「お金に換算できない価値」を資産として扱うということです。幅広いジャンルに応用できます。

僕のポッドキャスト番組でも、番組内で読み上げる相談メールを寄せてくれた方に番組オリジナルNFTをさしあげる、という試みをしています。いずれ、そのNFTを持って

いる人が参加できるイベントを開催するなど、コミュニティを盛り上げていきたいと考えています。

たとえば「宗教的行為」「学位」をNFT化する

もう少し大きなところでいうと、宗教的行為や学位をNFT化するという試みは、社会的意義が大きい。

たとえば無形の宗教的行為は、まず非金銭的である、そして長期的な価値である（教徒にとって信仰は永遠）という2点でNFTと相性がいいと思います。

神職にある人や宗教学者の間で真剣に議論を進めたら、宗教的価値に連結させたNFTという、新しい信仰のかたちが誕生するかもしれません。

たとえば「参詣NFT」。これは、あるお寺の僧侶と話をしていたときに思いついたアイデアなのですが、年に1回、参詣してお布施をすると付与されるNFTです。そのNFTは転売不可ですが、相続としての譲渡は可とし、なおかつ参詣とお布施が途切れると無効になるようにプログラムします。そうなると、信徒は必ず年1回は参詣し、お布施をするようになる。

信仰としての行為が、半ば義務的になり「形骸化しないだろうか」という危惧もありますが、技術的には可能だ、ということ自体がおもしろいことではないでしょうか。

この習慣が親から子へ、子から孫へと受け継がれていけば、参詣NFTが、50年、100年……にもわたるお寺と家族の系譜になります。いままでは古文書に記されていたようなことを、ブロックチェーンに記していこうというわけです。

テクノロジーによって認証された「デジタルな古文書」が、家宝として代々受け継がれていく。そんなことまで想像できてしまいます。

また、非金銭的で長期的な価値というのは、学位にも当てはまるでしょう。

学位をとる勉強のためには学費を支払いますが、学位そのものをお金で買うことはできません。そして学位とは、「この分野について一定の学識がある」ということを、ほぼ生涯にわたって示してくれるものです。

そこで考えられる学位NFTとは、「この学問を修めました」という証明を、卒業証書や学位授与証明書などではなくNFTで行うという発想です。

著名人の学歴詐称が話題に上ることがありますが、学位NFTが当たり前になったら、卒業証書が偽造だの何だのと騒ぐまでもなく、すぐに確認がとれてしまいます。

何度もいいますが、ブロックチェーンの記録は事実上、消去も変更もできません。学位NFTがウォレットに入っていれば学位あり、入っていなければ学位なし。これ以上に明らかな「証明」はないわけです。

実は、すでに学位NFTに類似する手法をとっているところもあります。

2017年、MITメディアラボでは、学位をブロックチェーンで発行する実験を行っています。Blockcerts（ブロックサーツ）というもので、標準化も視野に入れています。僕が現在所長を務める千葉工業大学変革センターでも、これに参加して学位を発行する準備をしています。

一方、2018年11月、マレーシアの教育省は、学位証明の偽造対策として、ブロックチェーンを使って学位を発行・検証するシステムを採用することを決めました。政治家の学歴詐称にとどまらず、学位が公然とネット販売されているなど、特にマレーシアでは学歴詐称が深刻な社会問題になっていました。日本の経済産業省でも、学位・履修・職歴証明、研究データの記録や保存にブロックチェーン技術が使えないかという調査報告がなされています。

貨幣経済は、きわめて合理的なシステムですが、何でも貨幣という1つの価値基準に落とし込むという難点があります。

合理的であるがゆえに「誰かにとっては価値があるが、誰かにとっては無価値」という性格のものを「資産」として扱うことができない。そのなかで、お金を持っているだけで評価される、といった一面的な価値観も生まれてしまいました。

しかし現実には、貨幣価値に落とし込めないもの、お金で買えないものが、僕たちの周りにはたくさんあります。人の思いや情熱、あるいは時間的経過などという文脈（コンテクスト）が宿っているものです。

そういうものを文脈ごとトークン化できるNFTは、いままでずっと貨幣経済だけでやってきた既存社会に現れたまったく別種の価値の表現法です。いままで取りこぼされてきた非金銭的な価値も、この新しいテクノロジーによって、もっとうまく表現できるようになっていくでしょう。

「BANKLESS」——銀行なしで生きる若者たち

ｗｅｂ３で形成されているクリプトエコノミーは、いまや既存のフィアットエコノミーに対するアンチテーゼ、社会的ムーブメントとして存在感を増しつつあります。

その現れの１つといえるのが、「BANKLESS（銀行なし）」を掲げるアメリカの若者たちです。僕自身、いまもし10代であったら、このライフスタイルをやってみたいと思います。

およそ10代半ばの彼ら・彼女らは、クリプトエコノミーで稼いだ仮想通貨を仮想通貨ＡＴＭで現金に替えて、ランチを買ったりしている。稼ぎはクリプトエコノミーで得ており、フィアットエコノミーでの経済活動は消費だけ。したがって現金を預けておく銀行は必要ない、それが「ＢＡＮＫＬＥＳＳ」である——というムーブメントです。

彼ら・彼女らは多くの場合、実家暮らしのようなので、自分で払わなくてはいけない生活費はそう多くはないのでしょうが、ともあれ、このようにクリプトエコノミーでの稼ぎだけで生活している人々が現に誕生しているのです。なかにはNFTでたくさんクリプトを稼いでいて、「私はもう一生、銀行口座を開くつもりがない」と豪語している若者もいます。

感覚としては、既存のシステムや価値観に嫌気が差し、ドロップアウトしてコミューンで暮らすというような、やはり1960～70年代のヒッピー文化に似た雰囲気を感じます。

クリプトエコノミーがさらに拡大し、そこでの稼ぎだけで生活しようとする人が増えれば、それだけ仮想通貨ATMが増えたり、決済そのものを仮想通貨で行えるお店が多くなったりと、社会のほうがクリプトエコノミーに適応する方向へ変わっていくでしょう。

僕も、NFTアーティストとご飯を食べに行ったときなど、割り勘の分を仮想通貨のイーサにして相手のウォレットに送ったりしています。日本には、まだあまり仮想通貨ATMがないので仮想通貨の使い勝手は悪いのですが、おそらく、状況が変化するのは時間の問題だと思います。

いまはまだ想像がつかないかもしれませんが、これは、いってみれば食事のデリバリーが電話注文からウェブ注文・ウェブ決済に移り変わったのと同じです。

たとえば、初めてUber Eatsで注文・決済したときの「ものすごく簡単！」という驚きが、やがて消え去り、当たり前になっていく。仮想通貨ＡＴＭも仮想通貨決済も、そんな感じで世の中に浸透していくのだと思います。

さらに長い目で見れば、イーサが世界最大の通貨になる日が来るかもしれません。世界最大の暗号通貨、ではなく、ドルや円なども含めた世界最大の通貨です。

フィアットエコノミーには国家という縛りがあるため、どの主要通貨も世界人口の過半数を越えて使われてはいません。

一方、クリプトエコノミーは、国家と関係ないグローバルな経済圏です。もし世界人口の過半数がクリプトエコノミーで経済活動を行うようになったら、そこで流通しているクリプトは、おのずと世界最大の通貨になるということです。

現時点では、まだまだ法整備やインフラが追いついていない国が大半です。ただ、クリプトエコノミーへの人口流入は、世界各地で確実に進んでいます。潜在的ユーザーまで含めたら、すでに相当な割合になっているはずです。

そのうえで先の世界を想像してみると、決して突飛なアイデアではなく、世界中で当たり前のようにしてイーサに代表される暗号通貨が使われている未来も、十分ありうると思えてくるのです。

第3章

アイデンティティ

僕たちは、
複数の「自己」を使いこなし、
生きていく

人類は、「身体性」から解放される

序章で、本書的なメタバースの定義を「オンライン上でのコミュニケーションは前提として、何らかの価値の交換が行われている空間」としました。バーチャルリアリティはもちろんメタバースの大きな要素なのですが、それだけではないということです。

もう1つ、メタバースには重要なキーワードがあります。それは「多様性」です。

「ここはFacebook」「ここはTwitter」といったプラットフォームごとの分断がなく、オンライン上のさまざまなコミュニケーション空間が一緒になって「超＝メタ」な「1つの世界＝バース」を形成しているというのがメタバースの概念です。したがって空間と空間の行き来は自由で、なおかつ誰もが等しく参加できなくてはいけません。

本書の冒頭で紹介した『スノウ・クラッシュ』の登場人物たちが、アクセスモードの区別なくメタバースに参加できるように、メタバースでは性別や人種、障がいの有無などの区別なく、自分にいちばん合った方法で等しく参加できること、すなわち多様性が守られることが重要なのです。

そんなメタバースにおける多様性は、決して夢物語ではありません。

わかりやすい例を挙げると、バーチャルリアリティのなかでは、自分が望む自分の姿（アバター）として存在できます。姿かたちが人間である必要すらなく、たとえば好きな動物やキャラクターを自分のアバターにしてもいいわけです。

「それは偽りの自分だ」なんて拒否感を抱く人もいるかもしれませんが、メタバースによって、人がみずからの身体性から解放されることのほうが重要だと僕は思っています。

現実世界にいる僕たちは、無意識的か意識的かにかかわらず、己の身体性によって様々に自己を規定しています。

男性である、女性である、背が高い、背が低い……挙げ出したらキリがありませんが、身体性はアイデンティティの構成要素であると同時に、自分を「自分」という1つの枠組みに閉じ込めるものでもあります。

身体性を介さないオンライン空間であるメタバースでは、そのすべてから解放される。

たとえば四肢に障がいのある人が、メタバース内でアバターとなって思うがままに旅したり、飛んだり跳ねたりすることもできるわけです。まさに誰もが等しく参加できるという、メタバースの多様性です。

VRアーティストのせきぐちあいみさんは、作品制作の傍ら、高齢者施設などでメタバースを体験してもらうという活動をしています。現実世界では、ちょっとした段差にもつまずいてしまうお年寄りが、メタバースだと自由自在に移動できて、「こんなに自由に動けるなんて最高!」と表情が明るくなるところをたくさん見てきたそうです。

現実世界では肉体的な不自由を感じている人たちが、これからはメタバースで人生を謳歌できるようになる。そんな未来も思い描きつつ、せきぐちさんは、ALS(筋萎縮性側索硬化症)などの人たちとも協力して、メタバースのプロジェクトを進めていきたいと話しています。

ニューロダイバーシティ――「脳神経の多様性」が描く未来

話は肉体的な特徴による不便を抱える人々にとどまりません。

以前、**ニューロダイバーシティ**（神経構造の多様性）研究の第一人者である歴史社会学者、池上英子さんとの対談で、非常に興味深い話を聞きました。

自閉症やADHDなど、いわゆる発達障害とされる人は、人と相対してのコミュニケーションが苦手な場合が多いようです。

彼ら・彼女らは目を合わせて言葉を交わす、相手の思考や感情を読み取りながら自分を表現する、といったことが難しい。ところがメタバースに入ると、そういう「コミュニケーションに障がいがある」とされる人々が、生き生きと、スムーズに他者とコミュニケーションをとりはじめるそうです。

こうした事例に触れて改めて振り返ってみると、この現実世界は、僕たちが認識している以上に不平等なコミュニケーション空間なのかもしれません。

あるアメリカの産科の新生児保育室を観察したところ、「見た目がかわいい赤ちゃん」ほど太っていた——という興味深いレポートもあります。保育室では看護師が哺乳瓶で授乳しますが、見た目のかわいい赤ちゃんのほうが、より多く与えられる傾向があるとレポートは結論づけています。

ここに現実世界の1つのリアルが表れているとしたら、やはり、かなり不平等ではないでしょうか。たとえ先に見てきたような肉体的、あるいは神経構造的な特徴による不便は感じていなくても、きっといろいろなレベルで、人は無意識のうちに自分を規定し、他者からも規定されているのでしょう。

様々な不平等の問題に、個別に取り組んでいかなくてはいけないのは当然です。ただ、テクノロジーがもたらしたもう1つの選択肢として、メタバースを「顕在的・潜在的不平等がはびこる現実社会に生きる私たちを力づけるもの」ととらえれば、「ただの仮想空間」と侮ることはできません。

テクノロジー的な基盤はすでに十分整っています。後は人間がどんな未来に向かいたいか。ここでも僕たちの意思が問われています。

バーチャル空間の「自分の部屋」でできること

メタバースにはどんな可能性があるのか。ここまでのところでは少し大きな視野から述べてきましたが、バーチャルリアリティへの最初の入り口として、NFTをきっかけにすることができるのではないでしょうか。

バーチャルリアリティは、バーチャル空間に現れた「自分の部屋」です。現実世界の部屋と違い、そこでは物理的な制限を超えて世界中の人と交流することができます。好きなように部屋を飾りつけることもできます。NFTアートも、せっかく買ったのだから皆に披露したい、ということでメタバースが格好の展示会場になるわけです。

そこで重要になってくるのが、プラットフォームの縛りがないことです。

プラットフォームに力があったWeb2・0では、自分のネットワーク（オンライン上の決済情報、所属しているコミュニティなど）はプラットフォームに紐づいていて、そこから別のプラットフォームに持ち出すことができませんでした。

皆当たり前のように思ってきましたが、これは、たとえていえば、「このショップで買った洋服は、家には持ち帰ることができません」といわれているようなものです。自分の所有物なのに、その場から持ち出せない。考えてみれば不思議な話です。

しかしｗｅｂ３では、ブロックチェーンに紐づいています。Ｗｅｂ２・０ではインフラの上にプラットフォームがあり、プラットフォームにユーザー情報とそのネットワークが紐づいているという構造でしたが、ｗｅｂ３では、インフラ自体にユーザー情報とそのネットワークが紐づくようになったということです。

そうなると、ユーザーは自分の情報やネットワークが記録されたブロックチェーンをプラットフォームに持ち込むことになるので、１つのプラットフォームに縛られずに、自分のネットワークごとプラットフォーム間を自由に移動できます。

たとえばＮＦＴマーケットプレイスで買ったＮＦＴアートを、バーチャルな自分の部屋に飾ったり、別のコミュニティ空間で披露したりできます。

取引が完了した時点で、その取引履歴が自分のブロックチェーンに記録され、マーケットプレイスからメタバースへ、メタバースから別のコミュニティ空間へと、その作品が入ったウォレットを携えてプラットフォーム間を自由に行き来できるのです。

先ほどのたとえ話でいえば、「買った洋服をショップから持ち帰って自宅のクローゼットにしまい、別の日にそれを着て出かけることもできる」ようになるわけです。

web3で、人はふたたび「所有の主体」になる

現実世界では、自分の所有物を自由に持ち歩けるのは当たり前のことです。購入して自分のものになった洋服は店から持ち帰る。あるいは自分の帳簿を持って会計士や税理士のところへ出向く。これだって帳簿が自分のものであるからにほかなりません。でもWeb2・0の世界観によって、オンライン上で帳簿をつけると、それはプラットフォームに紐づけられることがほとんどです。

別のプラットフォームに書き出せることもありますが、あくまでも、自分が使っているプラットフォームがそういう仕様になっている場合に限ります。主導権はプラットフォーム側にある。それがweb3だとかなり様相が異なるのです。

ブロックチェーンに記録された自分の取引履歴は、自分のウォレットに入っています。決算処理をしたかったら、決算用のサイトに自分のウォレットアドレスを入れる。すると一瞬で決算処理が終わる。税務処理をしたかったら、税務用のサイトに自分のウォレッ

トアドレスを入れる。するとやはり、一瞬で税務処理が終わる。今後のクリプトエコノミーでは、こんな便利なアプリケーションがますます登場するはずです。

もしかしたら、最初に選んだアプリケーションの使い勝手が悪くて、ほかに使いやすそうなアプリケーションが見つかるかもしれません。そうしたら今度は、その新しく見つけたアプリケーションのサイトに、ウォレットアドレスを入力します。

現に僕は、暗号資産専用の確定申告書作成サービス・Koinly（コインリー）や、自分のウォレットを一元管理できるサービス・Zapper（ザッパー）などを使って、ブロックチェーンで行った決算や税務処理をはじめ、あらゆる事務処理をスピーディに完了させています。自分のウォレットを会計専用ツールに接続すれば、自動的に決算を行い、それを対応している国所定のフォーマットに書き出すことも可能です。

ここでやっているのは、ブロックチェーンに入っているデータを、それぞれのサイトで扱えるようにすることです。必要に応じてツールを組み合わせているわけなので、これもweb3ならではの「コンポーザビリティ」といえます。

ただし見てのとおり、ウォレットアドレスを入れて接続しているだけで、そのサイトにデータを移したのではありません。参照元は常にブロックチェーンであり、自分のウォレットのデータは自分の所有のままです。

Ｗｅｂ２・０では、この当たり前のことができていませんでした。そこに現れたブロックチェーンというテクノロジーは、プラットフォームから人へと所有物を取り戻すことを可能にしました。少し硬い言葉になりますが、ｗｅｂ３で、人は改めてデジタル上での「所有の主体」となったといえます。

ただし、なかには持ち出しができない設定になっているプラットフォームもあります。以前、あるＮＦＴマーケットプレイスでＮＦＴアートを購入した際に、なぜか自分のウォレットに引っ張り出せず、「不具合ではないか」と問い合わせの連絡を入れたことがあります。すると「購入者のウォレットには引っ張り出せない」と返ってきて、驚いてしまいました。

不具合ではなく、もとからそういう仕様だったのです。ブロックチェーンを使っているのに発想がＷｅｂ２・０的で、とても疑問に感じました（このマーケットプレイスは、後日、ウォレットへの引き出しが可能になりました)。

ほかにも、やはり購入したNFTを自分のウォレットに引っ張り出せない設定になっていて、しかも購入直後に「転売しますか」というメッセージが出るNFTマーケットプレイスもあります。

要するに「転売目的なら、自分のウォレットに持ち出す必要はないだろう」という発想なのでしょうが、ロングタームバリューとしてNFTを楽しんでいる身からすると、ちょっと腹立たしくすら感じます。

135ページで、web3によって、人は改めて所有の主体になったと述べました。しかし、このようにweb3的なことをしておきながら、web3のスピリットではないことをやっている人たちがいるというのも事実なのです。

自分の「評判」をマネジメントする

web3のテクノロジー的基盤であるブロックチェーンについては、すでにたびたび触れてきました。

前述したとおり、取引履歴の改竄が事実上不可能であるブロックチェーンには、高い透明性と信頼性があります。これを個人のウォレットで考えると、「取引履歴が他者から丸見え」ということを意味します。

インターネットの閲覧履歴やNetflixの視聴履歴のうち、他者に見られたくないものをこっそり消去したことは誰にでもあるでしょう。閲覧履歴が残らない「シークレットモード」を使うこともあります。それがいっさいできないと想像してみてください。何かたった1つの閲覧履歴により、「そんな人だったんだ」と勝手に不名誉な烙印を押されてしまうかもしれません。

「ブロックチェーンは透明性が高い」というのは、閲覧する側にとっては安心を意味しますが、閲覧される側として考えてみると、思わぬところで無用の誤解や批判を呼ぶ恐れがあるということです。

ウォレットの中身のせいで評判に傷がついても、差し障りないうちは気になりません。しかし、クリプトエコノミーでの活動量が増え、給料をもらう立場になったりしてくると、「きれいなウォレットかどうか（おかしな取引をしていないか）」が自分の仕事にも影響しかねません。

もちろんプライバシーの問題は考慮しなくてはいけませんが、その人のウォレットや履歴をチェックするというのは、いわばｗｅｂ３的な人物評価法の１つなのです。僕も、注目しているＮＦＴコレクターのウォレットはたまにチェックしています。

人によっては、複数のウォレットをもち、場ごとにリンクさせるウォレットを分けることを考えるかもしれません。オンライン上のハンドルネームやアイコン、アバターを場ごとに使い分けることも想定できます。

Ｗｅｂ２・０でも、Twitter や Instagram アカウントを「仕事用」「プライベート用」などと使い分けている人が多数いるように、オンライン上のコミュニケーション空間で複数のアイデンティティを使い分けることは、比較的当たり前に行われてきました。

その延長線上の話ではあるのですが、これからのｗｅｂ３の時代、とりわけ「レピュテーション（評判）・マネジメント」としての「アイデンティティ・マネジメント」が重要になってくるでしょう。

場ごとの文脈に沿った自己として存在する

自分という存在は様々な要素の複合体です。たとえば男性であり、父親であり、あるコミュニティの中心人物であり、投資家であり、ゲーマーであり……というひとつひとつの要素が、自分という入れ物に収まっているといってもいいかもしれません。

しかし、そんな丸ごとの存在である自分が関わる複数のコミュニティには、それぞれ異なる文脈があります。

たとえば親たちのコミュニティには子育ての文脈、投資家のコミュニティには金融の文脈、パンクロック好きのコミュニティにはパンクロック文化の文脈がある、という具合です。

こうしたコンテクストに沿った言動をするかどうかで、自分の評判が築かれます。たとえばパンクロックのノリを親たちのコミュニティに持ち込んで、とがった発言をしたら眉をひそめられてしまうでしょう。どんな一面があってもいい。ただし、良好な人間関係を築くためには、その場ごとの文脈に合わせることが欠かせないという、社会生活上当たり前の話です。

メタバースには、そもそも「1つの肉体に1つのアイデンティティ」という条件がありません。そのため、複数のアイデンティティを場ごとに使い分けるということが、現実世界よりも簡単にできます。

これは先に述べてきたウォレット、アバターをはじめ、その場ごとの立ち居振る舞いや言葉遣いにもいえるでしょう。日本語だと特にわかりやすいのは一人称の呼び分けです。「僕」「俺」「私」「わたくし」、この一語をとってみても、表現されるアイデンティティは違ってきます。

しかも、その場のコンテクストに必要な情報だけを、アイデンティティに紐づけることも可能です。あるゲームの場では「ゲームの世界の住人」としての自分の情報だけ、投資の場では「投資家」としての自分の情報だけ、婚活の場では「誰かのパートナー候補」としての自分の情報だけを開示する、というように。

裏を返せば、その場のコンテクストに必要ない情報は伏せたまま、存在できるということです。あるゲームの場では、大人、子ども、王族、一般市民などに関係なく、そのゲームの住人として、その世界観のなかでの成功を目指すことができる。要は、現実世界の属性からの解放です。

不都合な面を見えないようにするという話ではありません。ここで提示したいのは、僕たちは、どの場でも自分を丸ごと見せる必要があるのか、という問いです。

現実世界でたとえるならば、「区立図書館で本を借りる」みたいなことです。区立図書館の貸し出しカードをつくるために必要なのは、「その区の住民」というアイデンティティだけです。保険証などの情報開示で、その点さえ証明できれば、誰でも本を借りることができます。

NFTを発行する基盤となるブロックチェーンでは、ある人が「その区の住民」のような特定の事柄を証明したいとき、機密情報を明かさずに証明する「ゼロ知識証明」と呼ばれる技術が研究開発されています。つまり、透明性がありながらも「秘匿性」を担保することができます。

このように「その場に必要なアイデンティティ」だけで存在するということが、NFTが行き交うメタバースでは、より自在かつ多様にできるということです。

「本当は何者なのか」が関係ない世界

いま、クリプトエコノミーでは、ある興味深い現象が起こっています。

いくら現実世界の銀行で評価の高い人でも、クリプトエコノミーでは認められない場合があるのです。逆に、大きなベンチャー・キャピタルが、偽名の人物のビジネスへの投資を決めたりしています。現実社会でどのような人物であるかは問わず、クリプトエコノミーでの実績やビジョンで評価された結果でしょう。

実際、Bored Apeの4人の創始者、ガーガメル、ゴードンゴナー、皇帝トマトケチャップ、ノーサスも偽名ですが、すでに高く評価されています。

クリプトエコノミーでは、「何をしたか」という貢献度が重視されます。フィアットエコノミーでの評判がクリプトエコノミーでの評判に何ら影響しない、ということが現実になっているなか、DAOやNFTのビジネスに関心を寄せる人たちは、クリプトエコノミーでの評判づくりに一生懸命になっているようです。

複数のアイデンティティを場ごとに使い分け、文脈に沿った言動をすること、その場に必要な情報だけ開示して存在すること、さらにはフィアットエコノミーの財力は脇に置き、クリプトエコノミー内のコミュニティへの貢献度を高めること。すべてが「アイデンティティ・マネジメント」として評判の管理を行っているといえます。

第4章

教育

社会は、
学歴至上主義から
脱却する

学歴以上に個人の才能を物語るもの

web3で「学び」はどう変わるか。また、web3時代に求められる教育とは何か。まずいえるのは、web3は、日本で長く続いてきた「学歴至上主義」の効力を徐々に薄めていくだろう、ということです。

というのも過去の履歴を克明に記録し、しかも消去・変更が不可能なブロックチェーンが履歴書の代わりになっていくのだとするならば、修了証書などよりも深く、明確かつ正確に個人の能力・資質が伝わってしまうからです。

学校で何の学問を修めたかだけではなく、学校内外でどんな活動をしてきたか、社会に出てからはどういうコミュニティで、いかに貢献し、何を達成してきたか等々。web3のテクノロジーが社会に浸透するにつれて、こうした履歴すべてをひっくるめて個人の能力・資質がはかられる時代になると考えられます。

前章では「アイデンティティ・マネジメント」という文脈で、自分の「評判」のマネジメントについて述べましたが、過去の履歴に基づく評判のつくり方も、今後、大きく変わろうとしているのです。

63ページで紹介したコミュニティ「Henkaku」でも、いま、メンバーたちが新たな時代における自分自身の評判づくりに取り組んでいます。今後は、どんなタスクを完遂したか、SNSのフォロワーは何人か、何を達成したか、$HENKAKUトークンをどれだけ受け取ったか、ほかにどういうコミュニティ（DAO）で何をしたか、GitHub（ギットハブ）（ソフトウェア開発のプラットフォーム）でどんなプロジェクトに参加したかなど。多様なアイデンティティに関する事柄を自分で管理し、公開しているのです。

誰によりタスクをアサインされて、完遂したタスクのレビューを受け、報酬が支払われたかというのはコミュニティの記録です。したがって、自身の主観や楽観的観測をいっさい廃した、きわめて客観的なプロフィールになっているわけです。

これほど詳細で精度の高いプロフィールがあったら、履歴書に記された「学歴」や「職歴」など、存在感が薄くなってしまうでしょう。

学びと仕事が一本化する

このように「学歴以上に個人の能力・資質を物語るプロフィール」が、新たな学びの機会になる場合もあります。

いまの教育は、1つの課程を終えて修了証書を受け取ったら、基本的におしまいです。しかも専門職でない限り、自分が学んできたことを仕事の場面でシェアする機会は、ほとんどないでしょう。学びと仕事（稼ぐこと）が分断されてしまっているのです。

本来は、「学び」と「仕事」と「遊び」の3つが一体になっているのが理想的です。というのも、「遊び」がない「学び」や、「遊び」のない「仕事」は、モチベーションとクリエイティビティに何かしらの問題があることが多いのです。現代の様々な問題は、こうしたことに起因するのではないでしょうか。遊びの大切さについては、この後でも触れます。

しかしweb3では、「自分が学んできたこと」や「いま、考えていること」を、誰もがチェックできるところに開示しておくことができます。それにより自分の能力・資質が審査されることもあれば、他者の知見と合わせて新たに学ぶ機会にもなりえます。

1つの課程を修了したらおしまいではなく、得た知見同士を掛け合わせた学び直し――「リラーン」が、web3では起こりやすくなるといっていいでしょう。新たに学びながら課題をクリアしていく。ゲームのなかで修行（学び）を積んで成長していくクエストのような感じです。

コミュニティ「Henkaku」のなかでも、遊びが、学びとセットになったクエストになっています。ある課題を、必要な知識を得て解決すると、「クエスト達成」と見なされて$HENKAKUトークンがもらえる仕組みです。

実際に、学びがクエスト化している学校も存在します。

「42（フォーティツー）」はフランス発でアメリカ、日本を含む世界各国に展開しているエンジニア養成校なのですが、この学校には教師がいません。クリアすべき課題だけがあって、学生はピアラーニング（学生同士が協力して学ぶこと）で取り組んでいきます。大学生になる僕の甥が通っていたのですが、非常に楽しく学ぶことができたと話していました。
経歴不問、学費無料（※10）、24時間開校、オンライン学習可という自由度の高さで、「学年」「卒業」といった概念もありません。個々の学びはすごろく状のマトリックスで表現されます。自分が学びたいところをステップバイステップで埋めていき、「この学校でこういうスキルセットを身につけることができた」と自分が満足したところがゴールです。

このように、ゲームにインスパイアされており、トップダウンで先生から教わるのではなく個人が好きなように学習できる、仲間と協力して学ぶ、という学校形態は、あらゆることが分散化（非中央集権化）するｗｅｂ3時代にこそ注目が集まる仕組みにも思えます。

学ぶ動機が情熱を生む――web3がもたらす「参加型教育」

Ｗｅｂ1・0、Ｗｅｂ2・0、ｗｅｂ3と進むにつれて「読む」「書く」「参加する」と、できることが増えたというのは「学び」にも当てはまります。

※10　理念に賛同する企業によって運営されている。

Ｗｅｂ１・０では、図書館に行って本を借りてこなくても、インターネットに接続すれば、様々な知識を得られるようになりました。もちろん書籍でないと得られない知識はありますが、知識習得において、かなり便利で筋のいい選択肢が加わったことは確かです。

Ｗｅｂ２・０では、「自分で書いて発信してみる」という学びのかたちが加わりました。書籍やインターネットから一方的に知識を吸収するだけでなく、自分からの発信を通じて起こるインタラクティブな議論を通じて、より深く学ぶ、ということができるようになりました。

そしてｗｅｂ３、「参加型」の学びとは、ひとことでいえば他者とのコラボレーションです。第一に知識を取得し、第二に取得した知識を使って発信し、そして最終的には、第一、第二の経験を踏まえて人と協力し、何かを生み出していくということです。ここで学びの一体化が起こるわけです。

しかし、このｗｅｂ３的な学びには情熱が必要です。自分から何かに取り組み、達成したいという情熱がなければ、他者とコラボレーションして何かを生み出すほうへと自分を動かすことはできません。

これは、とりわけ現代日本への問題提起になると思います。

幼年教育について、アメリカの研究機関が、こんな興味深いレポートを出しています。プレスクールに通った子どもたちと、プレスクールに通わずに自由に遊んでいた子どもたちとでは、小学校に上がった最初の数年は前者のほうが成績がよかったけれども、3年生、4年生と上がるにつれて後者のほうが成績はよくなったというのです。

プレスクールに通った子どもたちは、先生の言うことをよく聞いて、言われるとおりにきちんと勉強してきたお利口さんたちです。指示されたことをこなすのは得意ですが、みずから学ぶ姿勢、つまり情熱をつくる力が育っていません。

だから、プレスクールの延長にある小学校の最初の数年間こそ、先生たちの言うことをよく聞いて好成績をとれますが、だんだん息切れしてきてしまいます。「何のために学ぶのか」という内在的な動機がないまま、結果として成績が落ちていったのでしょう。

一方、プレスクールに通わなかった子どもたちは、いわゆる勉強の蓄積がないわけですから、いきなり好成績をとれなくても当然です。

しかし、この子どもたちは、小学校に上がる前にたくさん遊びました。「遊び」は好奇

※11　このレポートで述べられているプレスクールは主に、集団行動としつけを目的としたアメリカの公立のプレスクールであり、すべてのプレスクールが、このような傾向にあるわけではない。

心を育てます。何でも「遊び」にして楽しんでしまう力、「知りたい！　やってみたい！」という積極性を育てます。

早い話が、豊かな「遊び」の体験は情熱をつくる力を培う。この土壌がある子どもたちにとっては、小学校ではじまる勉強もまた「遊び」のようなものです。「新しいことを知るって楽しい」という新鮮な体験に夢中になります。こうして勉強に対する内在的動機が自然と育ち、主体的に学べば学ぶほど成績が上がっていくというわけです。

さて、日本にいる僕たちは、このレポートをどう受け止めたらいいでしょうか（※11）。すべての子どもを平均化するような画一教育、自発性を伴わない学習、子どもの想像力や独創性を発揮させない授業スタイルなどなど、すでに日本の教育の問題点はさんざん指摘されてきました。教育改革という言葉も、言い尽くされた感すらありますが、実際のところどうかというと、あまり変わっていないようにも見えます。

指示されたことを、きっちりこなせる利口な人はたくさんいるのでしょう。しかし、「ちょっと変な人」と思われようとも、自分の内から湧き出た情熱を追いかけてみずから学び、世界に存在しない、新しいものを生み出せる力のある人は少ない。これが実情ではないでしょうか。

現に日本出身のノーベル賞受賞学者は本書を執筆している時点で合計29人。アメリカのノーベル賞受賞学者は、僕がいたMIT（マサチューセッツ工科大学）だけでも98人。単なる利口な人では、ノーベル賞に値するような画期的な学説や新発見・発明は生み出せませんから、この差は日米の教育の違いを端的に示していると思います。

とはいえ、アメリカのような極端な個人主義には問題もあるので、何でもアメリカを見習えばいいという話でもありません。日本の課題は、いかに教育をアメリカナイズするかではなく、情熱からはじまる学びをいかに可能にしていくかです。

その解決策の1つが、web3にはあります。

これは僕の知人の14歳になる息子さんの話です。彼は、すでにDAOに参加したりNFTをつくったりしているのですが、よく僕に「コミュニティからディベロッパー（開発事業者）に報酬を払うにはどうしたらいいですか？」などと聞いてきます。

彼が生まれたのはWeb1・0の頃で、デジタルネイティブ世代ですから、すでにインターネットで「読む」、インターネットで「書く」という経験は積んできています。

そのうえで人と協力し、何かを生み出していくというｗｅｂ3的な学び（参加すること）を進めている。そこには、まずやりたいことがあり、それに必要な知識を身につけようとしている。ｗｅｂ3で活動すること自体が、ｗｅｂ3時代に求められる情熱をベースとした学びにつながっているわけです。

文系・理系を分けるナンセンス

長年、アメリカの教育現場に身を置いてきた目から日本を見たときに、残念だなと思うことがあります。

それは有能な技術者が育っていないこと——というよりも、技術者の社会的立ち位置が確立されていないために、有能なはずの技術者が能力を発揮しきれていないこと、といったほうが正確かもしれません。

日本の教育では、ずっと学生を文系と理系とに分けてきました。そして文系は総合職、理系は専門技術職というように進む道が枝分かれするうち、「文系人材が立てたプランに従って理系人材が働く」という上下関係の構図ともいえるものができてしまったように思えます。

文系と理系に分ける教育は、メーカーという技術者集団がモノをつくり、それを文系の集団である総合商社がどんどん海外に売る、という戦後の高度経済成長期の頃はうまく機能していたのでしょう。

しかし大量生産・大量消費の時代が過ぎ去り、さらにはｗｅｂ３によって、あらゆる面で分散化（非中央集権化）がこれから進もうとしているいま、教育の仕組み自体に見直しが迫られています。それ次第で、日本の国力は大きく変わってくるといってもいいくらいです。

小手先の教育改革ではなく、社会のアーキテクチャー（構造）を変えるくらいの変革が必要です。

昔は木材だけで建物をつくっていたところに、コンクリートやガラスのような新しい素材が現れました。しかし、外側の見栄えだけで建築を考えていたら、これらの性質を理解しないまま素材だけを変えて、違う見栄えであっても同じ構造の建物をつくっていたでしょう。

建築の構造というものを理解し、そこに「コンクリートはこんな素材」「ガラスはこんな素材」という知識が合わさって初めて、「いままでにはなかった、こんな構造の建物ができる」という発想が生まれる。こうして建築が構造から変わり、街の設計や機能も変わっていく。これこそ、アーキテクチャーが変わるということです。

いまの日本を見ていると、素材のことをまったく理解していない人たちが、建物の見栄えだけで「これからの建築物はどうあるべきか」と議論しているように見えます。

テクノロジーにあまり明るくない人たちが国家のビジョンを描き、ゴールを設定している。このテクノロジー全盛時代に、です。これではビジョンもゴールも的外れになるのは不思議ではありません。

こうした不合理を正す一端を担えたらと、現在、僕が取り組んでいるのが千葉工業大学変革センターでの仕事です。

2019年まで所長を務めていたMITメディアラボは建築学部内の研究所なのですが、そこでもっとも重視していたのは、アート、サイエンス、デザイン、エンジニアリングを掛け合わせて考えることです。ハーバード大学法学部の学生たちと一緒になって、技術と法律の両面から人工知能の未来を考えるなど、いくつも刺激的な試みをしました。

千葉工業大学でも同じ発想で、エンジニアたちが法律や経済、美学なども合わせて学べる環境整備を進めているところです。いずれは千葉工業大学から、企業や国家でリーダーシップを発揮する人材が多く輩出されるようになれば、と願っています。

「下請け」に甘んじてきた技術者を解放せよ

本田技研工業創業者、本田宗一郎さんの有名な写真があります。バイクがまさに目の前を走っているときに、本田さんが地面に手をつけている。これは、エンジン音の異常を、創業者みずから全身で感じ取っている光景です。技術に明るく、現場任せにしないリーダーの姿です。

また、ソニーが戦後日本を牽引する革新的企業になったのも、創業者自身が技術者だったことと無関係ではありません。やはり技術をちゃんと理解している人たちが、リーダーシップをとることが重要です。

いまは国も企業も、何でもタスク化して解決に注力する「ソリューショニズム」に陥ってしまっている。これからの時代、そうではない真の創造性には「そもそも、なぜ？」という問いが不可欠です。

その点、web3で新しいことにチャレンジしている若い人たちは、「そもそも、なぜいまこういう状況なんだっけ？」と自問し、新しい技術を用いてコンセプトを立てているように見えます。技術に対する深い理解があるから、「そもそも論」からはじめて、新しい価値を生み出すことができるわけです。

そこで、大学教育を通じて、僕がぜひとも実現していきたいのは、技術者の価値と可能性の解放です。

先にも述べたように、どうも日本の理系人材は、文系人材につき従うという「下請け的な立場」に甘んじてきたように見える。これは技術者のほうにも、「文系の人たちが想像したものを職人的にかたちにしていく」という状況に慣れてしまったところがあるからだと思います。

技術をわかっている人が美学をもって創造すると、おもしろいものができます。「想像する文系、かたちにする理系」という構造を壊し、技術者がもっと価値を認められて、幅広い分野で能力を発揮できる社会になれば、日本の国力は確実に上がっていく。

証券会社なども、日本企業だと、技術的なことはIT企業にアウトソーシングするケースが大半ですが、アメリカの企業では、社員の半数を技術者が占めるというのが当たり前になっています。役員クラスの人がエンジニアという企業も少なくありません。

こういうところは、今後、日本も取り入れていくべきだと思います。そのためにも、やはり、まず技術者の解放からはじめなくてはいけない。

一方、文化・社会学側からのアプローチでテクノロジーをとらえていくことも必要です。

いわゆる文系の人たちにも、よくわからないままテクノロジーを使うのではなく、ブロックチェーンの仕組みを学んだり、ＤＡＯやＮＦＴの可能性を考えてみたりなど、文系の知見を使って、もっとテクノロジーと仲よくなってもらいたいと思っています。

テクノロジーと芸術表現を掛け合わせる、メディア・アーティストと呼ばれる人たちもいます。ストリートアートの人たちにも、テクノロジー好きの人が多いようです。そういう人たちのいろんな刺激的な活動ともあいまって、今後、日本で文系と理系の真の融合が進んでいくことを期待しています。

web3は役に立つか――答えは自分のなかにある

以前、台湾のデジタル担当政務委員を務めるオードリー・タンさんと話したときに、とてもｗｅｂ３に即しているなと思ったことがあります。これからは「目的」からはじまる学び＝「**パーパス・ベース・ラーニング**」に力を入れていく必要がある、というのです。

すでに「プロジェクト・ベース・ラーニング」という考え方はありました。これはプロジェクトを達成するには何が必要かと考え、学んでいくというコンセプトですが、タンさんのいう「パーパス・ベース・ラーニング」は、プロジェクトの前に「目的」がある。

たとえば、「いい空気の環境で暮らす」「きれいな水を飲めるようにする」という目的が先にあって、そのためには何が必要かと考える。そこからプロジェクトが発足し、必要なことを学んでいく。これは、ご自身も大きな目的の下でいくつもの優れた政策を実現してきたタンさんらしい、非常に素晴らしいコンセプトだと思いました。

プロジェクト・ベース・ラーニングでは、何をプロジェクトの起点としたら子どもたちの意欲が高まるかが課題でした。そこでとられたのは、子どもたち自身の興味関心や趣味を起点にプロジェクトをつくるという方法でした。一方、パーパス・ベース・ラーニングでは、まず先に「社会に貢献したい」という大きな目的があります。

そして、その大きな目的の下にいろいろなプロジェクトがはじまり、意気投合した仲間と一緒に必要なことを学び、実践していく。パーパスから情熱が生まれ、学びの原動力となるわけです。このプロセスは、まさしく本書でお話ししてきたｗｅｂ３のＤＡＯとぴったり重なります。

ここで思い出されるのは、まだWeb1・0の頃、僕が中学校などで講演をした際に、たびたび寄せられた質問です。

「インターネットは役に立つものですか？」

それに対する僕の答えは、「あなたは、何に興味がありますか？　特に何にも興味がないのなら、インターネットはあなたの役には立ちません」でした。

これはつまり、インターネットは知識や情報を得る新しい手段だから、得たい知識や情報がない人にとっては無用の長物である。「役に立つか」どうかの答えはテクノロジーそのものではなく、自分のなかにあるんだ、ということを伝えたかったのです。

その点ではweb3にもまったく同じことがいえます。web3のテクノロジーは画期的です。しかし、本書でたびたび言及してきたようにテクノロジーはツールであり、有用性は使う側の目的意識によって大きく変わってきます。そもそも目的がなければ、Web1・0と同様、web3も無用の長物に過ぎません。

こんなことを考えていると、タンさんが言っていた「パーパス・ベース・ラーニング」が、いっそう深く響いてきます。自分のなかに「社会の役に立つ」という大きな目的があれば、web3のテクノロジーは大いに役立ち、社会はよりよい場所になっていくでしょう。

とはいえ、そんな大目的を持つのは、いうほど簡単ではないのかもしれません。

そこでもう1つ、今後の教育で重要になってくるのは、**「クリエイティブ・コンフィデンス**（自分の創造性に対する自信）」です（※12）。

幼い頃に否定ばかりされていると、「自分はダメな人間だ」という自己意識が形成され、自由にものを考えられなくなります。

すると、たとえ意見やアイデアがあっても、自信を持って表現できなくなってしまう。「クリエイティブ・コンフィデンス」が欠如した人間になる可能性が高いということです。トップダウンの指示をこなすことだけは得意な、しかし、発想力に欠けた人間になる恐れもあるでしょう。

web3のDAOに代表される分散型（非中央集権型）社会では、「私はこんなことができます」「こういうのはどうでしょうか」と自分から手を挙げることが必須です。クリエ

※12 *"Creative Confidence"* by Tom Kelley, David Kelley

イティブ・コンフィデンスのない人が活躍するのは難しいでしょう。

クリエイティブ・コンフィデンスは、周りから応援されることで身につくといいます。先に触れた池上さんが研究しているニューロダイバーシティの視点も含め、それぞれに異なる個性を持つ個人が自分らしく生き生きと伸びていけるよう、コミュニティとして取り組んでいくことも必要だと思います。

本物の「アントレプレナーシップ」を育てる

序章でも述べましたが、2022年が「web3元年」といわれるとおり、この新たなテクノロジーのフェーズははじまったばかりです。

DAOもNFTもメタバースも、いかにテクノロジーで可能になったことを僕たちの生活に実装していくのかについてのアイデアは、まだまだ出尽くしていません。

クリアすべき課題はあるものの、テクノロジーの基盤は整っています。あとはアイデア次第というわけですが、ここで改めて浮かび上がってくる日本の難点は、アイデアを生み、なおかつそれを強力に推進して実現する力、アントレプレナーシップが育ちにくいことです。

たとえばDAOのいちばんおもしろいところは、株主、経営者、従業員という明確な区分がなく、ユーザーも含めた全員でプロジェクトを動かしている点です。ということは、ユーザーが一緒になって運営できるようなビジネスはすべてDAO化が可能であり、限りなく平等な分散的ガバナンスで運営できると考えていいでしょう。

事例として、フリーランスの受発注のネットワークをDAO化し、「人材派遣会社が間をとりもって高比率の中間マージンをとる」という既存の構造を変容させているコミュニティなど、おもしろい取り組みもいくつか見られます。

NFTにしても、「非金銭的な価値」「長期的な価値」を資産として取り扱い可能とするという視点があると、一気にいろんなものをNFT化する可能性が広がります。その好例としては、先にコンサートチケットのNFT化を挙げたとおりです。

また、くわしくは次章に譲りますが、DAOやNFTによって、ゆくゆくは地方自治体、さらには国のガバナンスが、より分散的（非中央集権的）、民主的に変わっていく将来もイメージできます。

そしてメタバース。時空を超えて他者と交流し、そのなかで物品や金銭（トークン）のやりとりもできると聞いて、これぞ近未来と感じた人も多いかもしれません。

バーチャルリアリティを受け入れやすいのは明らかにゲーマー層ですが、だからといって「ゲーマーだけのもの」と決めつけるのはもったいない話です。身体性や属性からの解放を通じて現実世界の人間を力づけるものととらえることで、メタバースを活用するアイデアは数限りなく出てくるでしょう。

個々が思い思いにアイデアを出し合い、実現に向けて動き出すようになったら、日本社会はｗｅｂ3化していくと思います。ただし、もう一方の可能性としては、実は多くの人が分散化（非中央集権化）など望んでおらず、結局は大きなプラットフォームに委ねることを選ぶという道も考えられます。

現に、独自のブロックチェーンをつくることを発表したプラットフォームもいくつかあります。そこでネットワークを築いたら、ほかのプラットフォームには持ち出せません。技術面だけはブロックチェーンを使っているけれども、スピリットはまったくweb3的ではない。しかしそのようなかたちを日本人が選ぶ可能性もゼロではないわけです。

僕としては、やはりweb3の分散化（非中央集権化）という点に大きな意義と可能性を感じているので、技術的にもスピリット的にもweb3化していく未来を選びたい。

そのためにも、本物のアントレプレナーシップを育てることが不可欠であり、これまで話してきた「パーパス（目的）」「パッション（情熱）」「クリエイティブ・コンフィデンス（自分の創造性に対する自信）」を育んでいけるかどうかが重要な鍵になってくる、と考えています。

第5章

民主主義

新たな直接民主制が実現する

ガバナンスが民主化する

新潟県長岡市にある山古志（やまこし）地域（旧・山古志村）は、現在、村民800人ほどのコミュニティです。2004年に発生した中越地震で、およそ2200人いた村民全員が村外への避難を余儀なくされた村、と聞けば思い出す方も多いでしょう。

その山古志が2021年12月、地域活性化の一環として、こんな施策を打ちました。世界にも多くのファンを持つ山古志特産の「錦鯉」を描いたデジタルアートをNFT化して販売し、購入者は「デジタル村民」になれるという世界初の試みです。

デジタル村民には「デジタル住民票」を発行。これにより地域活性化のプロジェクト会議への出席や、「デジタル村民選挙」での投票ができるようになります。NFTの販売は現時点で第2弾まで実施されており、すでにリアル村民数を超えるデジタル村民がいます。

NFTをデジタル村民の証しとし、村のガバナンスにも参加してもらう。しかも転売者が2022年3月時点ではゼロだといいますから、非金銭的で長期的な価値を取り扱い可能にするNFTの特性を、フルに生かした素晴らしい試みといえます。

こうしたweb3的な試みが示しているのは、今後、web3が行政にも行き渡った場合、ガバナンスの民主化が加速していく可能性です。

既存のガバナンスは有権者が自分たちの代弁者を選び、選出された代弁者たちが議会で話し合って政策を決める、という代議制民主主義（間接民主主義）です。

しかしweb3の最大の特徴は分散化（非中央集権化）です。DAOで仕事や働き方が分散化するメカニズムについては第1章で述べましたが、まったく同じメカニズムで、中央集権的な行政から分散的な行政へと移り変わる可能性がある。

代議制の問題点は、「議員が有権者の声を代表して行政を担う」というのが有名無実化し、実際には有権者の意思に反する政策がとられる可能性を排除できないことです。

たとえば国民が納めている年金は、国から委託された「GPIF（年金積立金管理運用独立行政法人）」によって運用されていますが、いったいどんなところに投資されているのでしょうか。

もしかすると、会社員の利益に反する決断を行う企業に投資されているかもしれません。会社員から集めた資金が、会社員にとっては断じて受け入れられないような企業に回されている。もしそうだったら、特に会社員の人は、かなり反発を覚えるでしょう。

年金を払っている人の大半が会社員だとしたら、有権者の意思に反する決定をしていることになります。しかし、僕たちは運用団体の決定にいっさい関与できません。

そこで、もし年金の運用団体がＤＡＯ化したら、と考えてみるとどうでしょう。

年金の投資先を決めるプロセスが、瞬時に直接民主的になります。ＤＡＯに参加して、年金の投資先に意見をいいたかったら、この「年金運用ＤＡＯ」のガバナンストークンを買えばいいだけです。

ただのお金ではガバナンスに参加することはできませんが、トークンならば、このように、自分の持っている資産が、必ず自分の望む方向へ向かうよう働くことになるのです。

代議制では、すべてを議員に委ねなくてはいけません。これに対してｗｅｂ３的な技術による改革を行うと、どのようなシステムになるのでしょう。

たとえば、案件別にプロジェクトチームを組み、そこに参加する有権者全員でガバナンスを働かせる。そうしたほうが、よほど国民の声を反映した政策になるはずです。

現に山古志の例では、NFTを持っているデジタル村民たちが、みずから地域活性化のプロジェクト会議に出席しています。すでに行政の一部が、村議会議員に決定を委ねる代議制ではなくなっている。

山古志地域の事例を先駆けとして、ふるさと納税をDAO化し、日本各地から集まったお金の使い道をDAOのメンバー全員で決めるなどの事例も、今後、続々と出てくるでしょう。

あるいはスマートフォンのアプリに現金をチャージするとポイントがつく、といったデジタル地域通貨を取り入れているところでは、ポイントをガバナンストークンのような立ち位置にすることもできます。今のところ、厳密な意味でweb3的ではありませんが、将来的にはweb3として地域行政の決定に住民が直に関われる仕組みになるかもしれません。

こういう試みが、まず市町村でうまくいき、そこから都道府県、さらには国へと広がっていくというのは、決して大それた想像ではありません。

一部の人たちの流行を超えて国民の多くがｗｅｂ３に参入したら、確実に世の中は変わる。仕組み的にまだ拙いところはありますが、あらゆるところでガバナンスの民主化が加速していく可能性は十分にあると思います。

衆愚政治に陥らないために

ただし、ガバナンスの民主化が進むことで、別の問題が現れる可能性もあります。ガバナンスの透明化によって、コミュニティの意思決定が衆愚的になってしまうかもしれないのです。

情報がすべて見えていても、その情報の意味するところがわからなければ、投票の際に本当にふさわしい判断はできません。表面的なところばかり見る人や、周囲の意見に左右される人も出てくるでしょう。何でもかんでも人気投票にしてしまったら、ポピュリズム（大衆迎合型政治）になるかもしれない。

問題は、透明性の確保と衆愚政治の予防のバランスです。

たとえば、知識を持っていて信頼できるメンバーに投票権を委ねるというのは1つの解決策です。他者に判断を委ねることにはなりますが、少なくとも直接、思いを伝えられますから、既存の代議制よりは透明性が保たれます。

ほかには、専門家が集まる「サブDAO」をDAO内につくり、重要事項の意思決定はそこで行われるようにするなど、すでに様々な議論が進められています。

web3で、以前よりもかなり透明なガバナンスが可能になる。しかし透明化するだけでは十分ではなく、理想主義が空回りする恐れがあります。前項では代議制に批判的なことを述べてきましたが、そもそも代議制は、直接民主制よりも手間をかけることで熟慮がなされるとされてきました。ある程度は代議制的な仕組みを取り入れた折衷案とすることで、web3的なガバナンスに実現可能性が出てくるでしょう。

また、ガバナンストークンによる「投票権の強さ」にも、いろいろな決め方があるでしょう。たとえば出資額に応じて付与されたガバナンストークンをそのまま「投票権の強さ」にしたら、「お金を多く出した人の意見が通りやすい」ということになってしまい、フェアではありません。

そこで、そのコミュニティに対する貢献度の高さや参加歴を投票権に反映させることも考えられます。

このようにweb3では、これまでの世界ではできなかったような壮大なガバナンスの実験が行われているところなのです。僕の友人で世界一有名な憲法学者のひとり、ローレンス・レッシグさんも、そこがweb3でもっとも興味深いところだと話していました。

既存の世界は、新しい経済圏を敵視するか

着々と存在感を増しているweb3に対して、既存世界はどう反応するでしょうか。

おそらく多くの人は、「怪しい」「危なそう」という疑念半分、「おもしろそう」「役に立ちそう」という期待半分でweb3の様子を窺(うかが)っているところだと思います。現時点では、日本国内に反対の気運はあまりないようです。

ただし、web3が広まり、新しい経済圏、クリプトエコノミーの影響力や存在感がま

すます増してくると、フィアットエコノミー側で危機感が高まる可能性はあります。その影響で、フィアットエコノミーの中心部から規制の動きが起こってくるかもしれません。現に、より法定通貨に近い役割を果たしているステーブルコインの規制を強化する動きが活発化しています。

特にフィアットエコノミーが盤石な国では、クリプトエコノミーに対する警戒心が強くなりがちです。強い通貨、強い中央銀行、強い政府、強い大企業、強い既存産業。盤石なフィアットエコノミーには「守りたいもの」が多過ぎるのです。

クリプトエコノミーをどう規制するか、あるいは規制しないか。この点については、他国でも紆余曲折が見られます。とにかく新しい経済圏ですから、どう扱うかを試行錯誤している段階なのです。

たとえば中国では、２０２１年9月、デジタル人民元の発行に先駆けて、暗号資産の関連サービスが全面的に禁止されました。すると大量の暗号資産が一気にＤｅＦｉに流れ込み、強い規制がかえってクリプトエコノミー拡大につながるかたちになりました。

ヨーロッパでは、ドイツが暗号資産への課税を強めると発表したとたん、皆ポルトガルに逃げ、迎え入れたポルトガルでも課税が強化されるという珍事がありました。アメリカも暗号資産への課税は重いほうです。税制が有利なシンガポールやケイマン諸島に逃がす人も多く、重課税を避けるためにクリプトマネーが世界中を逃げ回っている状態です。

その点、政情が不安定な国や、特に強い産業があるわけでもなく、自国通貨の競争力も低い国、つまりフィアットエコノミーがもともと脆弱な国は、むしろクリプトエコノミーの浸透が早い傾向があります。そこに活路を見出すしか、生き残る道がないと考えるからです。

現にＤｅＦｉの採用率のランキングを見ても、日本はかなり下位にいるのに対し、上位には新興国が多く入っています。自国経済に不安を抱いている国ほど、クリプトエコノミーに魅力を感じやすいということを示しています。

では、日本のようにフィアットエコノミーが盤石な国では、クリプトエコノミーは限定的なムーブメントで終わるのでしょうか。

結論からいえば、そうはならないでしょう。いくらフィアットエコノミー側で危機感が高まっても、多くの人がクリプトエコノミーを求めたら、もうその勢いを止めることはできないからです。

加熱し続けるクリプトエコノミー

Ｗｅｂ１・０のときも、当初はインターネットの違法性を唱えて排除しようという動きが見られました。

しかし、その後あっという間にインターネットが浸透するなか、そんな動きは自然と立ち消えになってしまいました。「インターネットのある生活」が既成事実化した時点で排除は不可能となり、反発していた人たちですら、当たり前のようにインターネットを使いはじめました。

もう１つ追加しておきたいのは、インターネットは常につながるわけではなく、ときどき落ちてしまうというところです。ウェブ黎明期には、この感覚が社会になかなか受け入れられなかったのですが、だんだんと受け入れられるようになっていきました。

クリプトエコノミーについても、社会は似たような道を辿るでしょう。

たとえばＤｅＦｉは、ちょっと説明を聞いただけではよく理解できないと思います。だから、どうしても「怪しい」「危なそう」という視線を浴びがちですが、少しでも触れてみれば、ちゃんと機能していること、安定していること、人の役に立っていること、最低限の注意を払えば危なくないことなどがわかるはずです。

その体験が大多数の人に広まると、「ＤｅＦｉで資産運用する生活」が既成事実化し、Ｗｅｂ１・０のインターネットと同じく、もう排除は不可能になるはずです。


そもそも自律的に回っているＤｅＦｉは、規制しようにも「事業の主体」というものが存在しません。いったいどういう存在なのか、いまだに法律で定義できていません。もし本気でクリプトエコノミーを規制しようと思ったら、インターネットやブロックチェーンそのものをストップさせなくてはいけないため、多大なコストがかかるか、そもそも止められるものなのかすらも、わかりません。

そんなフィアットエコノミー側のジレンマを横目に、クリプトエコノミーは一足飛びに国家の枠組みを超え、すでにグローバル化してしまっています。

つまり、それだけ多くの人がクリプトエコノミーに魅力を感じているわけです。その意思に対抗して保守的な勢力が潰しにかかるというのは、かなり無理筋でしょう。今後、必要な法整備が進められ、クリプトエコノミーは加速度的に拡大していくはずです。

必ず知っておくべきリスク

クリプトエコノミーには様々な優れた面がある一方で、リスクもあります。また、クリプトエコノミーが拡大するにつれて中央銀行が力を失い、いま以上に経済をコントロールできなくなる恐れもあります。要は経済のレジリエンシーの問題に直面する可能性があるわけです。

それに、クリプトエコノミーを規制するのは難しいとはいっても、無法地帯でいいはずはありません。セキュリティ面の保全はもちろん必要です。

ランサムウェア（マルウェアの一種）は、暗号資産があるために成立してしまっている犯罪の1つといえます。

ただし、こういう犯罪が起こりやすくなっているからこそ防犯意識が高まり、警察組織のサイバー犯罪対策能力も日に日に強化されています。敵もさるものなのでイタチごっこになりがちです。きっと普及に伴って悪質性も高まるので、最大の注意を払って、なんとしてでも抑制する必要があります。そうすれば、いずれ被害は減っていくでしょう。

近年では、2021年にアメリカのパイプライン（石油や天然ガス等を輸送する管路）会社、コロニアル・パイプラインが大規模なランサムウェア被害にあいましたが、FBIの捜査により、身代金の半分に当たる63・7ビットコイン（約230万ドル相当）の奪還に成功しています。

他方で、逆にクリプトエコノミーだと抑制される可能性が高い犯罪もあります。フィアットエコノミーの金融機関では、すべての違法な決済を防ぐことはできていませんが、仮想通貨はトランザクションの透明性が高いため、グレーな手口で得た収益の出所や所有者を隠して、法の目をかいくぐろうとするマネーロンダリング（資金洗浄）などへの対策を講じる方法は、いろいろとありそうです。

もちろん札束を詰めたスーツケースを持ち歩くよりも、暗号資産でマネーロンダリングするほうが物理的には簡単です。しかし、より簡単でも、より「誰がやったか」が追跡しやすく、捕まりやすいため、結果的に暗号資産のマネーロンダリングは減っていくだろうということです。

というわけで、クリプトエコノミーは、短期的に見れば大小さまざまな犯罪被害を生むでしょうが、中長期的に見ればセキュリティが拡充され、より頑丈になっていくと思います。

もちろん、常に目を光らせ、セキュリティレベルを向上させる意識を持つことは欠かせません。

また、よからぬ思惑を持つ国家が仮想通貨を悪用することを懸念している人もいるかもしれません。現状でいうと、仮想通貨の規模は、国家予算をまかなえるほど大きくなってはいません。しかし、世界中でますます仮想通貨が普及し、決済量も格段に増えたら、独裁国家が仮想通貨の活用を国家戦略に組み込むようになる可能性はあります。中米のエルサルバドルのように、すでにビットコインを法定通貨に定めた国家も登場しています。
とはいえ、先ほども述べたように、そもそも仮想通貨でのマネーロンダリングなどを行うのは難しく、さらに、仮想通貨が一般に普及すれば、それだけセキュリティも拡充されていくはずです。サイバー犯罪と同様、実際に独裁者が仮想通貨を悪用しはじめる前に十分な防御力を整えていく必要があります。

また別の可能性としては、もし独裁国家が本格的に仮想通貨を活用するようになったら、権力者の資産凍結や国際決済網からの締め出しといった経済制裁の効果が薄れることも考えられます。仮想通貨は国家の枠組みを超越します。国家の管理下に置けないというのは、見方によっては国際金融システムの大きな抜け穴といえるのです。

「新たな支配者」が現れるか、「真の民主化」が叶うか

さらには、クリプトエコノミーのなかに新たな支配者が生まれる可能性があることも、指摘しておかねばなりません。

そもそもクリプトエコノミーへの人口移動は、中央集権的なフィアットエコノミーの仕組みからの脱却を意味していたのに、移った先で新たな中央集権的な存在が現れるかもしれない。結果として「古い支配者」から「新しい支配者」に移っただけ、ということになる可能性があるわけです。

そうなってしまうか、あるいはｗｅｂ３の醍醐味である分散化（非中央集権化）によってガバナンスや金融の民主化が加速し、ウェブの姿として本来、描かれてきたような理想が現実のものとなるかは、まだわかりません。

ただ1ついえるのは、どちらの未来に向かうにせよ、物事はより多くの人が望む方向へと動くということです。よい目的のために、分散型（非中央集権型）というｗｅｂ３の特徴を生かそうとする人が多くなれば、そういう社会がつくられていく可能性も高くなります。

そうなると、「はたしてテクノロジーは私に何をしてくれるのか」という受け身の姿勢ではなく、「テクノロジーを使ってどんなことをしようか」と、積極的にコミットしていく姿勢が重要になってきます。

しかし、これは多くの日本人が苦手とするところかもしれません。したがって、まず日本人にいちばん必要なのは意識改革ということになりますが、それもテクノロジーに関するリテラシーを高めることにつながります。

web3のテクノロジーの何たるかを学び、実際に使ってみるなかで、いい文化を育んでいく。どのみちクリプトエコノミーの拡大は、すべての人にとって避けられないことです。それを社会にとって好ましい方向へと持っていくには、社会にとって好ましい目的を持つ人たちが早いうちに使いこなしてしまうのがいちばんでしょう。

好ましい方向に意識を持っていく。先行する人々には、こうした文化を根づかせる責任のようなものがあると僕は思います。

DAOに見る、環境問題解決への道筋

社会にとって好ましい目的というと、どんなものが真っ先に思い浮かぶでしょうか。

いろいろあると思いますが、たとえば「環境問題」は間違いなく人類共通の課題なので、「環境問題を解決する」という目的は、社会にとって好ましい目的だと思います。よい目的を持つ人がテクノロジーを使えば、よい方向に社会は動いていくと述べましたが、実際、ｗｅｂ３には社会をよりよくしたいと願う人たちが集まってきている雰囲気を感じます。分散型（非中央集権型）で民主的という、そもそものｗｅｂ３の性質がそうさせているのでしょう。

環境問題も、ｗｅｂ３では決して建前ではなく、本気で取り組むべきものとして大きなアジェンダになっています。そのために積極的に動いているプロジェクトＤＡＯもあり、ｗｅｂ３から環境問題が解決していく未来が、すでに見えてきているのです。

たとえば、環境問題のなかでも温室効果ガスは大きな問題ですが、国家レベルの話し合いや取り組みでは、まったくといっていいほど成果は上がっていません。しかしｗｅｂ３に目を転じてみると、さまざまなアイデアをもってCO_2の削減に取り組んでいる興味深いＤＡＯがあります。

たとえば、歩いて移動したらトークンがもらえるDAO。車などCO_2を排出する乗り物を使わないことで地球温暖化の抑制に1つ貢献できた、そのご褒美としてトークンが支給されるというシンプルなDAOです。

ほかに僕が注目しているものでは、別のDAOでトークン化されたカーボンクレジット（温室効果ガス排出枠）を購入し、ひたすら**トレジャリー**（DAOの金庫のようなもの）に保管していく、というDAOもあります。

このDAOがカーボンクレジットを買い込むほどに、炭素市場のカーボンクレジットは減り、需要と供給のバランスの関係でカーボンクレジットの価格は上がっていきます。するとと企業からすれば、高騰したカーボンクレジットを買うよりもCO_2削減に取り組んだほうがコスパがいい、となるので、結果的に地球温暖化の抑制につながるというわけです。

また、カーボンクレジットの市場価格が上がれば、カーボンクレジットのトークンを溜め込んでいるDAOの価値も上がります。したがって、最終的にはこのDAOに参加しているような環境意識が高い人が儲かります。

カーボンクレジットには、「誰がCO_2を排出するかが変わるだけで、CO_2削減にはあまりつながらない」という批判もありました。

しかしこのDAOは、カーボンクレジットの市場流通量そのものをコントロールしてしまうことで、企業が「カーボンクレジットを買ってCO_2排出」から「CO_2削減」へと方向転換するようにした。まさにアイデアの勝利と呼ぶべき、興味深い事例です。

環境問題は、国際社会をあげて取り組もうにもさまざまな利害、利権が絡んでくるせいで、なかなか一枚岩で、とはいきません。

トップダウンで強力に推進するのは難しい。それよりも、先ほどの事例のようにボトムアップ的な草の根運動を積み重ねていくほうが、意外と話が早いのかもしれません。大きなことを成し遂げるには、大きな組織が取り組んだほうがいいとは限らないのです。

ここですべてを挙げることはできませんが、CO_2削減に取り組んでいるDAOはほかにもたくさんあります。どれもアイデアがおもしろく、しかも着実に成果をあげています。いままでは政府や大企業しか関われなかったものに、こうして一般市民が関われるようになったという意味でも、web3時代の環境問題はとても可能性のある分野です。

新時代のメリットを享受できる人、できない人

web3の時代を見据えて、いま、僕が果たすべき役割は「橋渡し」です。

1つは上下の橋渡し。いまの日本政府にはテクノロジーを深く理解している人が多くありません。他方、豊富な知識をもってすでにweb3で活躍している人はたくさんいます。僕は双方の領域の人たちとつながりがあるので、「テクノロジーのことはあまりわからないが国政に対して権限はある人たち」と「国政に対して強い権限はないがテクノロジーの知識は豊富な人たち」の橋渡しができたらと思います。

これに加えて新旧の橋渡しも重要です。いま、web3の最前線で活躍している人たちは、Web2・0でやってきた人たちを信用していないところが少しあります。そしてWeb2・0の側にも、突如として盛り上がってきたweb3をちょっと懐疑的に見ている人たちがいる。この分断を乗り越えて両者が結びついたら、web3はもっと大きな文化

的・社会的ムーブメントになります。

僕はこれまでWeb1・0、Web2・0とインターネットに深く関わってきて、なおかつ自身の活動を通じてweb3の若い人たちともつながりがあるので、ここでも橋渡し役を担えたら、と思っています。

こういう橋渡しをしつつ、足元ではweb3の事業にお金を投じたり、世間一般への周知力が強いメディアでweb3について発信したり、おもしろいDAOやNFTがあったら紹介したりと、web3そのものにもさまざまな方法で貢献していきたいと思います。


同時に、あまりネガティブな発信はしたくないのですが、これからweb3に入ろうとしている人や入りたての人たちに向けた注意喚起も必要です。「web3とは、こういうもの」「逆に、こういうのはweb3じゃない」という情報発信です。

なかにはweb3のテクノロジーを使いながらも、ユーザーを自分のプラットフォームに囲い込もうとする「なんちゃってweb3」な人たちもいます。そこに引っかかってしまうと、せっかくのweb3のメリットも半減してしまう。

日本人は自分の権利に対して少し鈍感なところがある気がします。「よきにはからってください」というマインドで、あれこれ細かく主張せずに「おまかせ」してしまう。鮨でも天ぷらでも、日本のいちばんの贅沢は「おまかせ」することだからなのでしょうか。その点は、肉の焼き加減からパスタの塩加減まで逐一指定したがるアメリカ人との違いを感じます。

だから余計に、「なんちゃってweb3」の人がいても、「どうして自分が買ったNFTを自分のウォレットに引っ張り出せないんだ！」といった主張をせず、言われるがままに受け入れてしまう。そういうことがたくさん起こるのではないかと心配なのです。よくわかっていない人が「そういうものか」と思ってしまわないようにしたいものです。僕がそのガイド役を務められればと思います。

おそらく「web3元年」といわれる2022年から数年間が、正しいweb3とそうでないものの分岐点です。十分なリテラシーがあれば、おかしな点にすぐに気づけます。web3のよさを享受するためにも、自分でもいろいろと調べたり、実際に少し体験してみたりして、ここは「おまかせ」マインドを脱するのがいちばんです。

web3参入のファーストステップ

これから初めてweb3を体験してみたいという人には、いくつかおすすめのはじめ方があります。これまでも何度か指摘してきたようにリスクゼロの世界ではないので、気をつけるべきところには気をつけつつ、web3のおもしろみを体験してください。

まずweb3では何をするにもトークンが必要になるので、自分のトークンを入れておく「ウォレット」と、法定通貨（円など）を暗号資産（イーサなど）に替える「暗号資産取引所の口座」を開設します。これで最初の準備は完了です。

ちなみに、2022年3月、**メタマスク**というメジャーなイーサリアムウォレットがApple Pay対応になりました。これを使えば、より手軽に円をイーサに替えることができます。

さて、ウォレットと暗号通貨取引所の口座を開いたら、最初の体験としていちばん簡単なのはNFTを買ってみることです。OpenSeaなどメジャーなマーケットプレイスに出品されているNFTを見て、気に入ったものがあったら買ってみます。

ただし、NFTの偽物詐欺や、勝手に送りつけられてきたNFTを開くとウォレットの中身を全部抜き取られる「クリプトエコノミー型・送りつけ詐欺」も起こっているので注意が必要です。

NFT初心者の方のために、ぜひ心にとめていただきたい重要なポイントをまとめておきます。まず、NFTを楽しむために大切なことは次のようなことです。

- 最初は「最悪、失っても大丈夫な額」で始める
- 「好きだから買う」のがオススメ。とにかく楽しむ
- ウォレットは「あなた自身」。他の人に見られてもいいように意識する
- 自分と同じNFTプロフィール画像の人をSNSでフォローする
- 購入した「NFTのコミュニティ」に参加する

何事にもメリットとリスクがあり、NFTも同様です。次に挙げる「注意すべきポイン

ト」も心にとめつつ、存分に楽しんでいただきたいと思います。

- 「NFTは儲かるから」という理由で始めない
- NFTアートは「短期での転売」を繰り返さない
- SNSで知らない人からのメッセージは安易に受け取らない
- 「ウォレットの管理」や「NFT購入の判断」は他人に任せない
- NFTはグローバルが基本。「英語だから」と敬遠しない

NFTを買ってみるところから、さらに踏み込むならば、DAOも体験してほしいところです。ただ、参加して間もないコミュニティの運営に貢献するのは少しハードルが高いかもしれません。基本の言語は英語ですから、言語障壁もあります。

そこで、まずは興味のあるDAOで、メンバーたちがどんな会話を交わし、実際にどんな具合にプロジェクトが動いているのかを見学してみることをおすすめします。

世界のさまざまなトークンの市場価格を一覧できるCoinMarketCapというサイトには、トークンを発行・上場しているプロジェクトが、ほぼすべて掲載されています。

また、「環境問題　DAO」など「自分の関心事＋DAO」を英語で検索すると、目ぼしいDAOが見つかるかもしれません。

そのDAOのサイトに飛んだら、「White Paper（ホワイトペーパー）」を読んでみるといいでしょう。投資信託でいう目論見書のようなものです。そのDAOがどういう理念で、どんな目的のために設立され、どう機能しているのか、あるいは参加するにはどうしたらいいのかなどがまとめられています。

DAOの多くはDiscordというチャットサービスを使っています。DAOのサイトは基本的に自分たちのプロジェクトの主旨を紹介し、メンバーを募るためのものなので、たいていは「Join our community」という具合に、そのコミュニティのDiscordチャンネルにつながる「入り口」が設けられています。

Discordに無料登録したうえでサイト内の案内に従うと、Discord内につくられたコミュニティに入ることができます。おそらくたくさんスレッドが立っていて驚くと思いますが、丁寧に読んでみると、その人たちが何をしているのかが見えてくるでしょう。

今後、カーボンオフセットに限らず、さまざまな角度から環境問題に取り組むＤＡＯ、ファッションでメタバースを彩るアイテムをつくるＤＡＯなど、さまざまなＤＡＯが登場するでしょう。

たとえばＮＦＴゲームを提供する開発会社が運営するゲーマー向けのＤＡＯなど、すでに無料でコミュニティ（Discordなど）に参加できるものも多くあります。

なかには日本の開発会社が運営しているＤＡＯもあるので、百聞は一見にしかず、コミュニティに参加してみて、そこで交わされているスレッド上の会話などを見るだけでも、おもしろいのではないでしょうか。

ただし、ＤＡＯのなかには「あなたのＮＦＴを高値で売ってくれませんか」とメッセージを送ってきて、ＮＦＴや暗号資産を盗もうとする〝なりすまし〟の詐欺師もいると聞きますので、十分に注意してください。

なお、ここまでのところで述べた内容はクリプトやｗｅｂ３に関する一般的な情報に過ぎず、これらへの投資の勧誘を目的としたものではありません。また特定のトークンなどの推奨を目的とするものでもありません。

クリプトの投資と売買はとてもリスクが高いものです。自分もやってみたいと思ったら、プロのアドバイスをもらってから参加してください。また、最終的な投資決定は皆さんご自身の判断でなさるようにお願いします。

第6章
すべてが激変する未来に、日本はどう備えるべきか

最先端テクノロジーが、日本再生の突破口を開く

テクノロジーによって新たな時代の大転換が起ころうとしているいま、日本社会をよりよい方向へと動かしていくにはどうしたらいいのか。最終章では、僕たちができることについてまとめます。

Ｗｅｂ２・０では、自分のネットワークがGoogleやFacebookといったプラットフォームに紐づいていました。自分の持ち物であるはずなのに、自分の自由に扱えない。日本でｗｅｂ３が浸透することは、海外の巨大企業の手に握られていた所有物（少し強い言葉を使えば搾取されていたもの）を、日本人が自分たちの手に取り戻すこと、ともいえます。

ＧＡＦＡに代表される破壊的グローバル企業については、かねてより「一部の民間企業に世界が牛耳られる」などと警鐘を鳴らす向きもありました。ｗｅｂ３の浸透は「支配的企業からの解放」という意味でも、民主化といえるわけです。

さて日本では、それがどうなるか。「ｗｅｂ3元年」と呼ばれる2022年以前から、日本でも、テクノロジーに明るい一部の人たちの間ではｗｅｂ3、ＮＦＴ、メタバースが盛り上がっていました。

それぞれ個別の目的や情熱をもって、プロジェクトＤＡＯの発起人となる、関心のあるＤＡＯで貢献する、ＤｅＦｉで資産運用する、ＮＦＴアートを楽しむ、ＮＦＴアートを出品する、メタバースで世界中の人と交流する、などなど。

クリプトエコノミーに特化したベンチャー・キャピタルによる資金投入も盛んになってきており、ｗｅｂ3のエコシステムの拡大に貢献しています。

しかし、まだまだ一部の人たちだけに限られた世界であることには変わりありません。個々の働き方から地域社会のガバナンス、さらには国のガバナンスまでも根底から覆す、それも人々を「より自由に」「より民主的に」するｗｅｂ3のテクノロジーは、いまだ一般化の入り口にすら立っていないのです。

もし日本人が本当にｗｅｂ3を求めるのならば、ｗｅｂ3を「一部のテクノロジー好き」「最先端の人たち」だけのものとしないために、いくつか、国をあげて取り組むべきことがあると思います。ｗｅｂ3は文化的・社会的ムーブメントですが、より一般的になるには、国の理解や推進力も必要です。

アメリカでは日本より一足先にｗｅｂ3が広まっており、政治家たちも世間の時流をつかむために熱心に勉強してきました。そのなかでｗｅｂ3に大反対する政治家と歓迎する政治家とに二分されているというのが現状です。民主党のバイデン大統領はｗｅｂ3に懐疑的でしたが、2022年3月「デジタル資産について、全政府的アプローチをとる」という大統領令を出しました。

気軽なノリだったＷｅｂ1・0、Ｗｅｂ2・0と違って、ｗｅｂ3は暗号資産というお金と絡む要素が大きいだけに、歓迎する人はより強く歓迎し、警戒する人はより強く警戒するというように双方のエネルギーが強くなっています。

片方では「大儲けできるかもしれない」という賛同のエネルギーが働き、もう片方では「リンクをクリックしただけで全財産を騙し取られるかもしれない」という拒否のエネルギーが働いているという感じです。それがアメリカの議員たちを二分していることにもつながっているのでしょう。

177ページで、フィアットエコノミーが盤石な国ほど、クリプトエコノミーに対する警戒心が強くなりがちであると述べました。盤石なフィアットエコノミーで力を持つ中央銀行、カード会社、大企業などは国に対する影響力も強く、国は、これらを守ろうとする傾向があります。

はたして、こうした力学が働くかどうか。もし強い規制へと国が動き出したら、日本のweb3は道半ばで頓挫する可能性が高くなります。

直近の空気感でいうと、アメリカに比べれば、日本の政治家のなかで激しい反発は起こっていません。しかし積極的姿勢を示している人がいるわけでもなく、単にテクノロジーのリテラシーが低くweb3にもピンときていないから、半ば傍観しているという感じに見受けられます。2014年のマウントゴックス事件、2018年のコインチェック事件以来、ネガティブな印象を抱き続けている政治家も少なくないようです。

確かに、こうした動きの結果、多くの人が保守的になっていたことは不思議ではありません。

ところが、日本にも、ここへきて急にｗｅｂ３へ熱い視線を送る政治家が出てきました。特に与党議員のなかで、ｗｅｂ３について積極的に学ぼうとする人が増えてきています。

長く停滞している経済はいまだ上向く兆しすら見えず、盛んに叫ばれてきた「成長戦略」も目ぼしい成果を出せていない。もはや万策尽きた感があるなかで、ｗｅｂ３に活路を見出そうとしているようにも見えます。僕も２０２１年夏に日本に帰ってきてから、一気にｗｅｂ３関連の動きに大注目しており、その発展に微力ながら貢献したいと思っています。

産業界に目を転じてみれば、現代日本の主要産業の１つであるコンテンツビジネスはＮＦＴと相性がいいなど、ｗｅｂ３の恩恵を受ける産業は多いと思います。

そういう産業に携わる人たちがテクノロジーのリテラシーを高め、１０６ページで紹介した、コンサートの「ＮＦＴチケット」のようなおもしろい策を講じていけば、日本でも一気にｗｅｂ３化が進むでしょう。そして、すでに一部の政治家が期待を寄せているとおり、それが日本経済再生の突破口となる可能性は十分にあります。

「参入障壁」という巨大ファイアーウォールを取り払う

ｗｅｂ3がコンテンツビジネスと相性がいいことは先に述べたとおりですが、日本の金融界は、まだ静かに動向を眺めているところでしょう。しかしより多くの人たちがｗｅｂ3に目覚めたら、この層が受ける衝撃は相当大きいと思います。

金融はＤｅＦｉ、組織はＤＡＯとなり、会社に所属しなくても仕事ができて、銀行がなくても預金ができるし、証券会社がなくても資産運用できる。しかもクリプトエコノミーは流動性が高い。こういうことに多くの人が気づいたら、既存の金融機関や商社は淘汰されるでしょう。そうなりそうな空気を以前よりも強く感じます。

ただし当の本人たちは、まだ危機感や変化の必要性を感じている人が少ないように見えます。

こうした激変期には、正しく動けた人たちだけが、生き残ることができるのです。次々と変化が起きていて、それをいい方向へと舵取りしていく。そのためには相応の準備をしっかり行わないと、危ないのです。

日本でよくあるのが、既存のものに新しいテクノロジーを取り入れただけで変化に追いついた気になることです。建築でいえば建物の見栄えを変えただけで、アーキテクチャーは何1つ変わっていないわけです。これでは、「なんちゃって変化」になってしまいます。

すでにアメリカの証券会社では、顧客の希望に応じて資金の一部をクリプトエコノミーに回すというのが当たり前になっています。投資家はいまや「クリプトエコノミーに資金を入れていない証券会社の口座は閉めちゃおうかな」という意識になっており、証券会社のほうにも「クリプトエコノミーに資金を入れていないとパフォーマンスが落ちる」という危機感がある。日米の金融界の意識の差を感じますが、そもそも日本は制度的に大きな問題を抱えているのです。

日本では法律上、金融機関は暗号資産を扱う取引業者になることができません。もし交換業者になりたかったら、別会社を設立しなくてはいけません。そうなると当然、資金をクリプトエコノミーにも投じたい顧客は、法定通貨用と暗号資産用の2つの口座をつくって別個に管理することになります。

こういう制度設計になっている以上、日本では「資金の一部をクリプトエコノミーに回す」ということ自体が、とてもやりにくい。もしやるとしたら、別途、暗号資産用の口座を開く必要があり、管理が面倒このうえない。これでは参入障壁が高過ぎます。

制度の根底には、おそらく投資家保護の観点があります。いってみれば、クリプトエコノミーに対する警戒感から設けられた「参入障壁」という巨大なファイアーウォール。これを取り払わない限り、日本の金融界のweb3化は進みません。

金融機関が暗号資産を扱えないことで、個人投資家の間の「暗号資産＝怪しい」という空気が変わっていないという点も大きいと思います。一方、みずからリテラシーを身につけ、クリプトエコノミーでの投資に関心を示す人が増えていることも事実でしょう。

こうしている間にもクリプトエコノミーに対する関心が高まり、自分でDeFiに資金投入する投資家なども増えていき、気づいたときには既存の銀行や証券会社が……と、そんな望まざる未来も思い浮かんでしまいます。

デジタル人材の海外流出を防げ

長年アメリカで暮らしていた身ではありますが、僕は、アメリカ式の物事の進め方が必ずしも経済合理性が高いとは思いません。それに経済合理性だけで考えていると、何でもお金に換算することになり、おもしろいものが生まれにくくなる。

しかし、何かにつけて前例やしきたり、建前などを重視する日本の伝統は、合理性に欠ける部分が大きいと思います。日本経済が一向に浮上できないのも、そういう伝統によるところが大きいのではないでしょうか。

日本は先進国のなかで唯一、賃金が上がっていない国です。停滞に次ぐ停滞で、国の経済力はどんどん下がっている。「こんなに働いているのに、どうしてぜんぜんお金がないんだろう」とモヤモヤしている人は、特に若年層に多いに違いありません。

この状況を打破するには何か大きなインパクトが必要で、ｗｅｂ3は、そのインパクトになりうる、と僕は思います。

過去にもきっかけはありました。2000年代初頭には「ＩＴ革命」の気運が高まり、僕なども政府の要請で、何をどうしたらいいのかとずいぶん提言をさせていただいた覚えがあります。

その頃は「IT革命に乗り遅れたら、もう日本はおしまいだ！」という空気がかなり強かったのですが、インターネットが一般に普及したあたりから、あっという間に盛り下がってしまいました。

その後、東日本大震災が起こり、直近では新型コロナウイルスのパンデミック。しかし日本は、そのつど危機に対応・対処してきただけで、社会や政治、産業が構造から変わったようには見えません。結局のところ、保守的なのです。

そうしたなかでｗｅｂ３を日本経済再生の突破口としていくためには、とにもかくにも人材確保が重要です。

国も企業も、テンプレートをつくって表層的に「やってる感」を出すのではなく、上層部にデジタル領域でのアーキテクチャーを考えられる人材が必要です。何事も「解決策」がある、と見なして効率重視で課題を解決しようとする「ソリューショニズム」に陥らないためにも、チーム全体で共通のビジョンを持って構造からデザインできるようにならなくてはいけません。

そのために僕も大学教育に力を注いでいるわけですが、日本の現状を見ていると少し気がかりな点があります。

web3時代にこそ求められる優秀なエンジニアや、将来有望なスタートアップが続々と海外に拠点を移しているのです。

つい先日も、有能なエンジニアが見つかったので仕事のオファーの電話を入れたところ、「喜んでお手伝いしますが、なるべく早くシンガポールに移ろうと思っていまして」と言われたことがあり、人材の海外流出をひしひしと感じています。

海外移転したなかには、日本発のブロックチェーンでユニコーン企業（企業価値10億ドル以上で、設立から10年以内の未上場のスタートアップ）になるかもしれなかったスタートアップなどもあり、非常に悔やまれます。

主な理由は、日本の法律です。トークンを発行・上場して投資家に買ってもらうweb3的な新しいかたちの資金調達法は、スタートアップにとって非常に好ましい方法なのですが、日本ではこうした資金調達方法は、現時点では事実上不可能です。

日本経済新聞によると、仮に１００億円分のトークンを発行・上場し、70％を自社保有、30％を投資家に売り出した場合、税務上の扱いは「自社保有70％＝70億円の含み益」「投資家に売り出した30％＝経費ほぼゼロの売り上げ30億円」となります。そうなると「合計１００億円相当の利益」と見なされ、税率30％で30億円を税金として支払わなくてはいけません。

これでは投資家から調達した30億円を丸々税金として納めなくてはならず、トークンを発行した意味がほとんど失われてしまいます。かくして日本での資金調達を諦めた有能人材が、続々と税制的に有利なシンガポールなどに流出……というのが、いままさに起こっていることなのです。

原因は明らかなのですから、やるべきことは明確です。

優秀なｗｅｂ３人材が自由に活動できる環境をつくるために、既存の法律では扱いきれないクリプトエコノミーに関する法整備を、規制強化ではない方向で進めること。具体的には、スタートアップが活躍できる場をつくるために、トークンの発行・上場にかかる重税を大幅に下げることが早急に求められます。

この法改正を経て、優秀なデジタル人材を結集、国内で活躍の場を設け、やがては日本発のグローバルスタンダードをつくっていく、というのが理想的です。

また、これは外国人とも多く仕事をしてきた僕の印象なのですが、多くの外国人にとって、食事がおいしくて清潔な日本は、とても魅力的に映るようです。千葉工業大学で変革センターを立ち上げてからも、海外の優秀なエンジニアから「日本に呼んでほしい」という連絡がいくつも入りました。

だとすれば、税率を0％にするというのは難しいにしても、比較的低めにすることで、日本の次なるユニコーン企業を国内に引き留められると同時に、海外からも有望なスタートアップがやってくるでしょう。

「ネクスト・ディズニー」が日本を席巻する日

かつて、ひとりのアニメーターが生み出した「ネズミのキャラクター」が、やがて世界で知らぬ者はいない巨大エンターテインメント企業を誕生させました。ウォルト・ディズニー・カンパニーです。

ミッキーマウスは、世界一有名なネズミとなりました。その生みの親であるウォルト・ディズニーは、映画制作からテーマパークまで、さまざまなコンテンツで人に夢を見せ続ける企業の創始者、「エンターテインメントの神様」として、いまなお世界中に信奉者をもちます。

現在、そのディズニーに匹敵するほどの勢いで成長している存在として「ネクスト・ディズニー」とも呼ばれているのが、前述したBored Apeです。

最初はNFTのPFPを販売していたに過ぎなかった一企業が、トークンの発行・上場にはじまり、これからのロードマップとしてゲーム、イベント、メタバース、仮想土地と、爆発的にビジネスを拡大しようとしています。2021年の売り上げは、二次流通だけでも100億ドル。しかも、わずか1年ほどの期間に遂げた成長です。

Bored ApeのPFPを見たことのある人は、「いまはこういうのが人気なんだ、ふーん（自分は別に好きじゃないな）」なんて思っていたかもしれませんが、事態は単なるNFT、単なる個人の好みの範囲をはるかに超えてきています。

いま、世界的に大きな関心事になっているのは「誰がweb3時代の覇者になるか」であり、僕は「マイクロソフト、Meta、Twitter、ソニーVS Bored Ape」の戦いになっていくと見ています。

単なる「猿の姿のPFP」からはじまったweb3の寵児が、ものすごいレベルの技術力と資金力で既存大企業をなぎ倒し、日本を席巻する日も近いかもしれない。それが、すでにリアルな未来として思い浮かぶくらいの話になっているのです。

なぜ日本では破壊的イノベーション企業が生まれないのか

Bored Apeがこれほどの成長を見せているのは、大きく2つの理由が考えられます。

1つは、そもそも流動性が高くグローバルな、クリプトエコノミーを市場としていることとです。もう1つはNFTを発行するだけでなく、Bored Apeという1つのコミュニティをつくり、そこにトークンを投じることで資金調達をしていることです。

いくらNFTの市場が盛り上がっているといっても、NFTアートを販売するだけではコミュニティとしてのスケーラビリティには限界があります。そこにトークンの発行・上場を合わせるというダイナミックな発想こそがweb3的であり、Bored Apeが桁違いのプロジェクトに成長している最大の理由といえるのです。

さて、こういうとんでもない事例を見てから日本を振り返ってみると、どうでしょう。片や「猿の姿のPFP」からはじまったものが、ダイナミックな発想で世界を獲りに来ている一方、日本では、ドメスティックマーケットしか見ていない大手IT企業が「流行に乗れ」とばかりにNFTビジネスをはじめています。

そのマーケットプレイスやウォレットで取引できるのは、自社サービスのユーザー（会員）だけ。ターゲットが狭過ぎますし、NFTをただのデジタルグッズとしか見ていない。スケールの違いに愕然（がくぜん）としないでしょうか。

さまざまな構成要素がつながり合い、相互作用的に機能して初めて、ｗｅｂ３のエコシステムであるトークノミクスが機能しているといえます。ＮＦＴという１つの構成要素だけを取り出してデジタルグッズを販売しても、何となく「ｗｅｂ３感」が出ているだけで、真のｗｅｂ３とは別物です。

ムーブメントを一過性のブームで終わらせないために

もちろん日本には、日本特有の事情というものがあります。

前にも触れたとおり、トークンの発行・上場に重税が課せられる。これは日本のＩＴ企業のせいではありませんし、そもそも、こうした税制上の問題がなくても、既存のＩＴ企業がトークノミクスを機能させるというのは、かなりハードルの高い話です。

実際、海外でも通貨的トークンと証券的トークン（ガバナンストークン）を発行・上場してＮＦＴゲームなどをつくり、トークノミクスとして機能させる、などという業(わざ)はスタートアップしかやっていません。

それでも日本企業が、せめてNFTビジネスをグローバル展開するくらいの発想は持ち合わせていないと、本当にもったいないと思います。

いま、NFTマーケットプレイスを運営しているような大手IT企業なら、日本のコンテンツをグローバル仕様にして、グローバルマーケットに向けて展開することは、技術的にも資金的にもできるはずです。

すでに抱えているユーザーに向けてビジネスをしようとするのは、よくあるイノベーションのジレンマです。手堅い既存顧客を取り込むことばかりに注力し、グローバルで展開しようという発想にはなかなかなりません。NFTというものをもっと広い視野からとらえて、このジレンマを打ち破る必要があります。

僕は、日本の大手IT企業にも、真のweb3の世界に一緒に入っていってもらいたいと思います。日本に帰ってきた僕自身も、新たにデジタルガレージのチーフアーキテクト（技術者）として、皆と一緒にweb3に相応しいかたちに変容させていくつもりです。

日本はもしかしたら、文化的に表層を真似（まね）るのは得意だけれども、アーキテクチャーごと変えるのは苦手なのかもしれません。

ファッションや食文化を見ていても、海外のものを節操なく取り入れているように見えて、絶妙な匙加減で日本式にアレンジしているように見えます。外側はびっくりするくらい多様なのに、どうも根底にあるスピリットは一貫していて強固なのです。

何でも「当家流」に落とし込んでしまう器用さは、日本の持ち味の1つだとは思います。「外側が変わっても根本が変わらない」というのは、ある意味、芯が強いということ。

しかしいまのように、新しいテクノロジーによって大きなパラダイムシフトが起ころうとしているときには、かえってそれが仇になりかねません。

「日本は日本、当家流でやっていけばいいじゃないか」というのは、楽観的過ぎます。パラダイムシフトすらも当家流に落とし込んでしまうことで、新たに形成されているグローバルスタンダードに乗れないまま、世界で置き去りになる恐れがあります。

また、コンテンツビジネスはNFTと相性がいいと前に述べましたが、この点でも日本では残念なことが起こっています。

すぐ目の前に拓けているグローバルマーケットに日本のコンテンツを輸出せず、国内ユーザーだけに販売するのは、さすがにデメリットが大きい。せっかく世界中にファンを持つコンテンツが多数あるというのに、肝心のコンテンツホルダーの企業が世界を相手に及び腰になりがちなのです。

理由は、知的所有権のコントロールがきかず、何かあったときの責任がわからない海外プラットフォームに対する忌避感でしょう。また、同じグループのほかの事業との間で売り上げを奪い合う、いわゆるカニバリゼーションが起こることへの懸念もあるかもしれません。

しかし、世界に目を向けないままでは、いったいどうなることかと思います。やがては世界から忘れ去られて衰退していく可能性だってある。

ただ、NFTマーケットにしても、まだ黎明期にあります。これまでのような「海外は苦手」という態度ではなく、積極的に海外からも学んでいき、しかるべき法改正などを行えば、それほど悲観的ではない未来が待っていると思います。

そのためには、まずはグローバルな発想を持つこと。web3界隈のトレンドを見ていても、日本をテーマにしたプロジェクトがたくさんあるなど、日本のブランドが世界でプレミアムになっていると感じます。

カルチャーの側面では韓国エンタメに敗れた、などと見ている人もいるようですが、ぜんぜんそんなことはありません。当然、日本人がプロデュースしているものばかりではないのですが、「なんちゃってジャパン」みたいなものも、けっこう流行しているのです。

いま、世界では何が起こっているのかをしっかり見据えて、テクノロジーのリテラシーも高めつつ、グローバルマーケットを目指していけば、既存の日本企業にもまだ大きなチャンスがあるはずです。

ドメスティックをデジタルへ、デジタルをグローバルへ

現在の僕は、デジタル庁「デジタル社会構想会議」の一員として、テクノロジーを通じて日本社会を再構築するための計画、議論を進めています。

デジタル庁は発足当初、能力や実行力の点であれこれ取り沙汰されましたが、実際には、官僚も民間人も非常に優秀な人材がそろっている。抜群のチームです（どうしても身内

には少し甘くなってしまうのかもしれませんが）。

とはいえ、できたばかりのチームで、1000を優に超えるプロジェクトを動かしていくのは容易ではありません。しかも表層的な変化ではなく、社会のアーキテクチャーから変えていくとなると、それなりに時間がかかります。

短期的には、新型コロナワクチン接種証明書など一部のサービスは、すでに成果が出ています。

皆さんのなかにも、日本政府公式の「新型コロナワクチン接種証明書」のアプリを使ってみて、意外にも速くスムーズに動作することに驚いた人は多いのではないでしょうか。行政の能力と民間の能力がうまくリンクしたことで、いいシステムができました。まず国民全体としての関心が高く、見えやすいところに集中して一定の成果を出せたことで、そこでのKPIがチーム全体に行き渡るため、今後は、もっと成果を出しやすくなっていくと思います。

中長期的には、僕たち送り手の理論ではなく、受け手側の理論を大事にすること。つまり国民の声をきちんと取り入れた「No one left behind（誰も置いてけぼりにしない）」なサービスデザイン（体験価値の観点から、顧客目線でサービスを見直したり、新たにつくり出したりすること）をしていくことが重要だと話し合っています。これから、よりいっそう包括的な改革が進んでいくでしょう。

メンバーには「期待に応えなくては」というプレッシャーもありますし、ものすごい仕事量をこなしている人もいます。ナンセンスな法律に直面するなど、大変なことも多い。それでもすでにweb3の時代が到来しているなか、僕は、日本が真のデジタル社会になっていくように、引き続き力を注いでいきたいと思っているところです。

より長い目で見れば、日本の社会変革のゴールは、単にドメスティックなものをデジタル化することではありません。

日本は技術力には定評がありますが、それを武器として世界を相手に競争するのは、あまり得意ではありません。日本企業発でグローバルスタンダードになったものが少ないことが、その証しでしょう。

戦後、海外にモノを売らないと生き残れなかった時期には、ホンダやソニーといった世界的な企業が生まれました。

しかし高度経済成長期が過ぎて、ドメスティックなマーケットでも十分に採算が合うようになって以来、日本企業はあまり世界で戦わなくなってしまいました。その流れで銀行や証券会社も、ドメスティックなマーケットに最適化してきたところがあります。

それでも約14年ぶりに日本に戻った僕からすると、日本企業のグローバル化は以前よりもずっと進んでいると思います。英語ネイティブのグローバル人材も増えてきています。本当の勝負は、まだこれからです。

そういう意味でも、これから日本が行っていくべき変革とは、ドメスティックなものを、ただデジタル化するだけでなく、デジタル化を通じてグローバルな存在へと変えていくことだと思います。これを大きな目標とし。世界に照準を定めたゴール設定をすることが、日本再生の道を開く唯一の鍵だと考えます。

おわりに

日本社会のアーキテクチャーを、新しいテクノロジーにふさわしいかたちへと変革していく。いまこそ、その手伝いをするときだ、という考えから、約14年ぶりに日本に拠点を戻しました。

僕は自分自身にとっても、僕の大切な人たちや子どもにとっても、日本が暮らしやすい国であってほしい。専門とするテクノロジーの観点から、その力になれたらと、学問分野を超えていろんな人たちと議論したり、ｗｅｂ３のテクノロジーを社会実装するアイデアを試したりしています。

日本にはいままでにも何度か、大きな社会変革がありました。なかでも大きかったのは明治維新と敗戦でしょう。明治維新ではアメリカという外圧をきっかけに、それまでの社会のかたちが根底から覆され、敗戦によって一面焼け野原からの再出発となりました。

どうやら日本という国は、何か抗えない力のため、社会がいったん御破算となってからの再建には長けているようです。しかし、途中で気づいて変えるということはありない。

僕のいう「変革」に破壊的なニュアンスを感じ取っている人もいるかもしれませんが、それは真意ではありません。僕が目指したいのは、スクラップアンドビルド（壊してから再建する）ではなく、トランスフォーム（変容）です。もともとのかたちを壊すことなく、徐々に変えていくことです。

いくらさまざまな技術が変わってもゴールが変わらなければ、社会も組織も個人も変わりません。かといって、何から何までいままでどおりでいいかといったら、きっと多くの人が疑問を感じているところでしょう。特に若い人はそうだと思います。

では、いままでとは違うゴール設定のもとで社会を変容させていく（スクラップすることなく）には、どうしたらいいのでしょうか。

ゴールはビジョンから生まれ、ビジョンはパラダイムから生まれます。

700年前、中世のイタリアで複式簿記が発明されたことによって、その後、経済を中心とした近代的な資本主義社会の仕組みが生まれました。お金をとにかく集めた人が勝ち、というパラダイムが生まれたのです。

現代社会もこのパラダイムのなかにあります。

経済の成長により、より多くの人たちが社会に参加できるようになり、生活は便利になり、豊かにもなりました。ただ、やはり、資本主義社会では、資本家にお金や権力が集中し、中央集権的になっていきます。その結果、貧富の差が生まれ、環境破壊なども進むことになってしまったのです。成長を前提としている以上、こうしたことはどうしても起こってしまう。

このまま突き進んでいけば、きっと、破壊的な未来が僕たちを待ち受けているでしょう。要するに、既存のパラダイムが、そろそろ限界を迎えているのではないか、ということです。

21世紀になって「ブロックチェーン」という新しいテクノロジーが現れました。非中央集権的な思想を掲げてビットコインが、続いて「コミュニティありき」のイーサリアムが生まれ、新たなフェーズ、web3へと進展しつつあります。

本書で述べてきたように、web3の最大の特徴は「Decentralized」=「分散」です。すべてを非中央集権化するテクノロジーをきっかけとして、僕たちの社会は非中央集権的なパラダイムへと移行しようとしているのです。

ここで何としても避けたいのは、「旧パラダイム VS 新パラダイム」という対立構造が生まれ、激化することです。多少の淘汰が生じるのは仕方ないと思いますが、社会的に許容できる範囲を超えて旧パラダイムの側で大きな犠牲や反発が生じれば、それこそスクラップからのビルドという破壊的な社会変革になってしまうでしょう。

そんな事態を避けるためにも、やはり、テクノロジーに対するリテラシーを社会的に高め、そのテクノロジーによってどんなことが起こりうるのか、というビジョンを共有することが欠かせません。本書は、そのために書かれました。

社会のあらゆるレイヤーで非中央集権化が起こるｗｅｂ３では、もはや富と権力を一箇所に集中させるというビジョンは古いものとなっていくでしょう。

国家というもっとも中央集権的な枠組みはなくならないにしても、社会の至るところで、個々が己の価値観や趣味嗜好、ライフスタイルに従い、思い思いのかたちで社会参加する。こうしたｗｅｂ３的ビジョンのもとで、どういうゴールを設定し、社会を再構築していくか。

それは、僕たちひとりひとりに委ねられている。本書を読んでくださった皆さんも、ぜひ、一緒に考え、参加していきましょう。

最後になりましたが、本書を執筆するにあたってお世話になった皆さんに、この場を借りてお礼申し上げます。

デジタル庁、金融庁、総務省などで、日夜、日本のｗｅｂ３化のために一生懸命働いている若手官僚の皆さん、次世代のアーキテクトたちを育てる変革センターを設立させてくださった千葉工業大学の皆さん。今後ともどうか、よろしくお願いいたします。

Ｗｅｂ１・０の頃からのビジネスパートナーであり、ｗｅｂ３によってもたらされた変革期を一緒に戦っているデジタルガレージの共同創業者兼グループＣＥＯ・林郁（かおる）さん、同じくデジタルガレージで新たに設立したデジタルアーキテクチャーラボの立ち上げに尽力してくれた宇佐美克明さん、DG Lab Haus の北元均さん、いつも僕を助けてくれている秘書の田中美歌さん。本当に感謝いたします。

この本の編集を担当してくれたSBクリエイティブの小倉碧さん、フリーライターの福島結実子さん、ｗｅｂ３リサーチャーの comugi（コムギ）さんには図版制作などの協力をいただきました。長年の友人、ＮＨＫの倉又俊夫さんには今回も多くの助言をもらいました。ありがとうございます。

そして、ＢＳテレ東で現在放送中の番組「Earthshot 世界を変えるテクノロジー」のスタッフの皆さん、私のポッドキャスト「JOI ITO 変革への道」の制作スタッフの品田美帆さんとスタッフの皆さん、リスナーの皆さん、この番組から生まれたDiscord上のコミユニティ「Henkaku」の皆さんにも感謝します。

最後に、今回、アメリカから日本への拠点移動という人生の大きな選択に、一緒に取り組んでくれた妻の瑞佳と、娘の輝生に感謝を伝えたいと思います。いつも、ありがとう。

２０２２年5月吉日

伊藤穰一

著者略歴

伊藤穰一（いとう・じょういち）

デジタルガレージ 取締役
共同創業者 チーフアーキテクト
千葉工業大学 変革センター長

デジタルアーキテクト、ベンチャーキャピタリスト、起業家、作家、学者として主に社会とテクノロジーの変革に取り組む。民主主義とガバナンス、気候変動、学問と科学のシステムの再設計など様々な課題解決に向けて活動中。2011年から2019年までは、米マサチューセッツ工科大学（MIT）メディアラボの所長を務め、2015年のデジタル通貨イニシアチブ（DCI）の設立を主導。また、非営利団体クリエイティブ・コモンズの取締役会長兼最高経営責任者も務めた。ニューヨーク・タイムズ社、ソニー株式会社、Mozilla財団、OSI（The Open Source Initiative）、ICANN（The Internet Corporation for Assigned Names and Numbers）、電子プライバシー情報センター（EPIC）などの取締役を歴任。2016年から2019年までは、金融庁参与を務める。これまでの活動が評価され、オックスフォード・インターネット・インスティテュートより生涯業績賞、EPICから生涯業績賞をはじめとする、様々な賞を受賞。「Earthshot 世界を変えるテクノロジー」の番組共同MCを務め、ポッドキャスト「JOI ITO 変革への道」では定期的にNFTに関する話題を取り上げている他、web3コミュニティの試験的な開発に取り組んでいる。主な著書に、『デジタル・キャッシュ』（中村隆夫氏との共著、ダイヤモンド社）、『9プリンシプルズ』（ジェフ・ハウ氏との共著、早川書房）、『教養としてのテクノロジー』（アンドレー・ウール氏との共著、NHK出版）などがある。

SB新書 583

テクノロジーが予測する未来

web3、メタバース、NFTで世界はこうなる

2022年6月15日　初版第1刷発行
2022年8月14日　初版第5刷発行

著　者　伊藤穰一

図版・取材協力　comugi
編集協力　福島結実子

発行者　小川 淳
発行所　SBクリエイティブ株式会社
〒106-0032　東京都港区六本木2-4-5
電話：03-5549-1201（営業部）

装丁・本文デザイン　杉山健太郎
D T P　間野 成（間野デザイン）
印刷・製本　大日本印刷株式会社

本書をお読みになったご意見・ご感想を下記URL、
または左記QRコードよりお寄せください。
https://isbn2.sbcr.jp/16465/

落丁本、乱丁本は小社営業部にてお取り替えいたします。定価はカバーに記載されております。本書の内容に関するご質問等は、小社学芸書籍編集部まで必ず書面にてご連絡いただきますようお願いいたします。

ISBN 978-4-8156-1646-5